LE JOUEUR DE TRIANGLE

DU MÊME AUTEUR

Le récital, Montréal, Leméac, 2008.

NICOLAS GILBERT

Le joueur de triangle

roman

LEMÉAC

Leméac Éditeur reconnaît l'aide financière du gouvernement du Canada par l'entremise du Programme d'aide au développement de l'industrie de l'édition (PADIÉ) pour ses activités d'édition et remercie le Conseil des arts du Canada, la Société de développement des entreprises culturelles du Québec (SODEC) et le Programme de crédit d'impôt pour l'édition de livres du Québec (Gestion SODEC) du soutien accordé à son programme de publication.

ISBN 978-2-7609-3314-9

4609, rue d'Iberville, 1er étage, Montréal (Québec) H2H 2L9
Dépôt légal – Bibliothèque et Archives nationales du Québec, 2009

Imprimé au Canada

Triangle

Cet instrument semble réservé à des sonorités lumineuses, joyeuses. Ce qui est dramatique ou douloureux lui est rigoureusement étranger, à moins que, comme il arrive souvent dans l'art contemporain, on n'ait recours à lui pour un effet paradoxal, et qu'il ne prenne alors une signification lugubre, ou même macabre.

Sa caractéristique principale est de se faire entendre au-dessus de n'importe quel *fortissimo* orchestral. Raison de plus pour l'utiliser avec précaution. Le *trémolo* sur le triangle est fort connu.

Alfredo Casella
La technique de l'orchestre contemporain (1938)

VENDREDI

LOUIS

Aide-cuisinier, c'était ce que j'avais trouvé de mieux. Il faut dire que je n'avais jamais été un virtuose de la recherche d'emploi : je prenais ce qui se présentait et j'endurais le temps qu'il fallait. Et puis, cette fois, j'étais au pied du mur, il ne me restait en tout et pour tout que vingt dollars, empruntés à Véronique, mon ex. Donc, en ce vendredi d'octobre, je m'étais présenté au resto à 18 heures, tel que convenu la veille avec la patronne, pour mon premier quart de travail, qui allait également être le dernier. Micheline, que tout le monde appelait, à l'anglaise, *Micheleene,* avait été assez compréhensive pour accepter de me verser mon salaire de la soirée immédiatement après mon quart, « *but this time only,* mon pitte ». Elle devait travailler chez Berg's depuis une bonne trentaine d'années, n'avait sans doute jamais rien fait d'autre. Son travail consistait essentiellement à coordonner les mouvements des filles, les serveuses, et à superviser ce qui se passait chez les *boys,* à la cuisine, tâches dont elle s'acquittait dans la plus pure tradition de la maîtresse d'école : sévère mais juste, un peu distante mais toujours attentive. Micheline était, je crois, bien consciente du rôle important qu'elle jouait, non seulement dans ce restaurant mais dans cette ville. Elle n'oubliait pas une seconde que Berg's était un restaurant célèbre, une véritable institution, où l'on servait, disait-on, le meilleur sandwich à la viande fumée de Montréal. Ce n'était pas rien.

En me voyant passer la porte, Micheline regarda l'horloge. J'étais à l'heure, c'était toujours ça de pris. Je crois que je lui étais sympathique, qu'elle m'avait donc embauché sans trop poser de questions, mais qu'elle était malgré tout un peu sceptique. Mon CV l'avait rendue méfiante, et pour cause : j'avais gommé l'essentiel des dix dernières années de ma vie, ce qui laissait un grand vide. Je n'avais mentionné que les petits boulots que j'avais faits, ne faisant aucune référence ni à mes longues années d'études au Conservatoire, ni aux timides débuts de ma carrière de musicien. Les artistes, et les musiciens en particulier, sont une main-d'œuvre trop volatile, on n'en veut nulle part. Pour me fondre dans le décor, j'avais pris le parti de parler le moins possible, quitte à avoir l'air un peu simple, mais je crois que cette technique me rendait d'autant plus suspect.

— *Ready* pour le gros ouvrage, mon pitte ?

Micheline m'amena dans la cuisine, qu'elle m'avait déjà fait visiter la veille. Elle me présenta à Pavel, mon supérieur immédiat, qui occupait le poste prestigieux de *smoked meat cutter.* Pavel était un homme sympathique, début quarantaine, qui souriait toujours et éclatait de rire pour un rien. Il n'y avait qu'un seul petit ennui, avec Pavel : il ne parlait ni français, ni anglais, seulement le russe, je crois, ou le polonais. Et, Micheline m'ayant abandonné entre ses mains, c'est Pavel qui devait m'apprendre mon travail.

— O.K. les *boys,* soyez sages. Pavel, tu lui montres, *you show him.*

Ce à quoi Pavel répondit par un bref éclat de rire en me montrant un tablier suspendu à un crochet.

Pavel entreprit de faire mon éducation. Mon travail était relativement simple, au départ. J'avais à préparer les frites et différents types de hamburgers et de sandwichs. Il m'était cependant strictement interdit de toucher au sandwich à la viande fumée, dont la préparation revenait exclusivement à Pavel, question de prestige. On m'a même dit que le vieux monsieur Berg lui-même passait à l'occasion au restaurant pour apprécier le travail du *smoked meat cutter*. Pour le reste, donc, je n'avais qu'à imiter Pavel, qui décomposait en étapes simples la confection de chaque commande en commentant dans sa langue : *Tak, tak-tak, itak !* Je m'aventurais parfois à poser une question concernant une étape dont le détail m'échappait : *Tak ?* Et mon mentor de reprendre patiemment ses explications : *Tak, tak, tak, itak !* Somme toute, nous n'avions pas de problèmes de communication.

Après deux ou trois heures de *tak-tak* avec Pavel, il me jugea assez autonome pour faire mon travail seul. Il regagna donc son poste, sis en un endroit de la cuisine visible depuis la salle, où il avait pour tâche, outre la préparation de la spécialité locale, de passer tous ses moments libres à aiguiser de grands couteaux, ce qui divertissait fort les clients. En fait, Pavel et ses couteaux comptaient pour beaucoup dans le pittoresque de l'endroit. Cela dit, sans cette fonction décorative, Pavel aurait très bien pu s'occuper de tout dans la cuisine, sans nul besoin d'un aide-cuisinier, ce qui allait d'ailleurs être démontré par la suite.

Pour moi, au début, tout se passa bien. Le restaurant n'était pas bondé, les commandes arrivaient une à une, criées à mon intention par les filles, Cindy et Josée, à travers la petite fenêtre qui donnait sur la salle, « un *cheese* spécial, deux ordres de *varenikes boiled* ». Chez Berg's, évidemment, on parlait bilingue. Je n'étais pas rapide, mais j'étais minutieux. Je préparais chaque commande étape par étape, accompagnant le cliquetis de mes couteaux et spatules d'un murmure russo-polonais, *tak-itak*. Je tirai rapidement de ce travail une certaine satisfaction. Les assiettes que je tendais aux filles me semblaient jolies, équilibrées, appétissantes. Je regrettais presque d'avoir à m'en séparer et surtout de voir revenir ces piles d'assiettes souillées que je casais tant bien que mal dans le lave-vaisselle en réprimant un haut-le-cœur. Malgré tout, c'était intéressant, et tout à fait nouveau pour moi. *A priori*, me retrouver dans une cuisine était étrange et un peu ironique : depuis six mois, je n'avais pas touché à une casserole, me nourrissant presque exclusivement de surgelés. Et avant, avec Véronique, j'étais considéré comme une nuisance dans la cuisine, on préférait que j'y sois aussi passif que possible. Bref, dans la cuisine de chez Berg's, j'étais en train de vivre une sorte d'affranchissement, un passage à l'âge adulte. À presque trente ans, ce n'était pas trop tôt.

C'est vers 22 heures que les choses commencèrent à se corser. Un groupe de jeunes gens affamés fit une entrée remarquée dans le restaurant, suscitant force roulements de hanches chez les filles et regards attendris chez la patronne. Je suivis la scène à travers ma petite fenêtre, d'abord avec amusement puis avec un peu d'anxiété, constatant que l'appétit des garçons aurait un impact immédiat et non négligeable sur ma charge de travail. C'est bien ce qui se produisit. Cindy et Josée me transmirent les commandes, prenant ce qui me sembla être un air un peu sadique, commandes qui étaient nombreuses, complexes, capricieuses. Sur le coup, je ne sus pas où donner de la tête. Je lançai un regard en direction de Pavel qui, tout à ses couteaux, ne me prêtait aucune attention. Puis je me dis, mon petit, c'est maintenant que tu vas faire tes preuves, et j'attaquai la tâche avec autant de méthode et de célérité que possible.

Mais j'étais trop lent. C'était évident. Lent et maladroit. Je m'empêtrais dans mes ustensiles, je confondais les ingrédients. Les étapes qui, plus tôt, m'avaient semblé si logiques, comme s'enchaînant d'elles-mêmes, me paraissaient maintenant parfaitement absconses. Après un certain temps, les filles vinrent se poster à ma fenêtre.

— Coudonc, c'est-tu si compliqué que ça? Le monde attend, là, m'envoya Cindy, assez sèchement.

Et je tentai de presser le tempo, mais je gaffais de plus en plus. Tandis que les filles continuaient à persifler de l'autre côté de la fenêtre, je parvins à terminer la dernière assiette, qui était loin d'avoir aussi fière allure que celles que j'avais préparées une heure plus tôt. Mes chères collègues emportèrent le tout, retrouvant leur sourire et leur roulement de hanches. J'essayai de me rassurer, bon, ça va, ce n'était pas si mal, calme-toi. Mais à peine avais-je eu le temps de reprendre mon souffle que les filles revenaient à la charge, presque enragées: tel hamburger n'était pas cuit, tel autre l'était trop, personne n'avait commandé ceci, où était donc cela... Micheline, assez mécontente, se joignit aux récriminations des serveuses, « *this won't do,* mon pitte, on travaille pas comme ça, ici ». Et elle appela Pavel, qui, à mon grand soulagement, vint corriger mes bévues en un tournemain, en riant, par-dessus le marché.

La patronne voulut malgré tout me donner une deuxième chance. Mon air dépité avait dû l'attendrir. Elle renvoya donc Pavel à ses occupations, me redonnant le contrôle de ma partie de la cuisine, « essaye que toute soit ben *well done,* faut pas niaiser avec ça, on a une *reputation* ». Mais, moi-même, je n'y croyais plus trop. Mes mains tremblaient, j'étais en nage et je commençais à me demander sérieusement ce que je faisais là.

Je parvins à me tirer d'affaire pendant environ une demi-heure, tout de même persuadé de l'imminence du désastre. Et le désastre eut tôt fait de se présenter, sous la forme de sept *Berg's Special Burgers* réclamés par une tablée de touristes américains. Je fis de mon mieux, mais ni Cindy, ni Josée ne voulurent faire le service : on jugeait le produit de mes efforts peu conforme aux normes de qualité de cet établissement illustre. Encore une fois, on fit venir Micheline, puis Pavel, et je fus démis de mes fonctions, cette fois-ci pour de bon.

— Il va falloir qu'on trouve quelqu'un d'autre, mon pitte. *It's a tough job*, tout le monde peut pas y arriver.

La patronne m'emmena dans la salle, près de la caisse, et me tendit une enveloppe contenant deux billets de vingt dollars, ce qui, sans plus de formalités, mit fin à ma relation avec l'institution. En passant par la cuisine pour y raccrocher mon tablier, je fis mes adieux à Pavel, « *tak-tak*, Pavel », ce qu'il trouva très drôle : il riait encore quand je passai la porte du restaurant.

Je descendis la rue Saint-Laurent sans me presser, il faisait très doux pour un mois d'octobre. On en était à cette période de la soirée où les fêtards sont encore relativement sobres, ont encore le contrôle de leur voix et de leurs gestes, se préoccupent encore de l'image qu'ils projettent. Sans compter, bien entendu, les jeunes étudiants de l'Université McGill qui, eux, sont parfaitement ivres avant même la tombée de la nuit. Les jeunes filles faisant la file à l'entrée des discothèques grelottaient, habillées comme pour une chaude soirée de juillet, s'efforçant de rester immobiles pour ne pas trébucher sur leurs talons trop hauts, au grand plaisir de leurs compagnons qui voyaient en leur vulnérabilité un signe de leur propre force.

Tout cela aurait pu être un spectacle sympathique, mais je ne le goûtais guère, l'esprit encore tout imbibé de mon récent échec. Ces quarante dollars gagnés à la sueur de mon front étaient bienvenus, mais ne feraient pas de miracle. J'avais déjà emprunté un peu d'argent à toutes mes connaissances, sans exception ; je devrais me trouver un autre petit boulot au plus vite. La perspective de reprendre l'épluchage des petites annonces, les tournées de distribution de CV, n'avait vraiment rien d'emballant. Bien sûr, il y avait toujours la voie « facile » des sondages téléphoniques. Une boîte du centre-ville m'avait déjà embauché à plusieurs reprises pour de très courtes périodes et me reprendrait sans aucun doute, mais je m'étais juré de ne plus jamais y remettre les pieds. C'était un travail trop dur. Assommant, humiliant, complètement abrutissant. Non, c'était hors de question, plutôt l'Armée du Salut que les sondages.

Mon Dieu, en être là, au pied du mur, alors qu'à peine un an plus tôt, à ma sortie du Conservatoire, on me promettait l'avenir d'un grand percussionniste. On parlait de moi comme d'un futur soliste, j'en étais même venu à me voir ainsi, ce qui, je m'en rendais maintenant compte, tenait de la fabulation la plus naïve, la plus farfelue. Les gens qui m'avaient encouragé au temps de mes études, parmi lesquels certains avaient une certaine influence dans le milieu musical, semblaient tous m'avoir oublié. Après un an passé sur le « marché », je n'avais donné aucun récital et rien n'était en vue, rien. J'avais également tenté de me faire connaître comme musicien d'ensemble, mais même là, les contrats arrivaient au compte-gouttes. J'étais très loin de pouvoir en vivre.

Je me retrouvai, dans le wagon de métro, assis en face d'un jeune couple en crise. La jeune fille pleurait à chaudes larmes, l'air renfrogné et la lèvre tremblante. Le jeune homme ne semblait pas particulièrement intéressé à la consoler, ne bougeait pas, jouait l'impassibilité. Pourtant, la jeune fille se braquait à tout instant, « touche-moi pas ! », alors que son ami n'avait, à mes yeux, pas esquissé le moindre mouvement. Je me dis que ce devait être une rupture.

C'est Véronique qui m'avait laissé, six mois plus tôt. Une histoire tout ce qu'il y a de plus banal : elle avait rencontré quelqu'un d'autre. Un professeur d'université, de quinze ans son aîné, que je n'ai jamais rencontré, à quoi bon ? Nous avions passé six ans ensemble. Six années tranquilles qui ne m'avaient paru qu'un début, un bon début. Mais voilà, le début avait eu une fin, avait été une fin, et je m'étais retrouvé seul et un peu désemparé. La rupture avait été rapide et s'était faite sans trop de heurts : je ne suis pas colérique et elle non plus. Nous avions même continué à nous voir de temps à autre, en amis, dans des cafés, ce qui ne me plaisait que de façon mitigée, mais c'était elle qui insistait. Je dois bien l'admettre, Véronique avait toujours eu un certain ascendant sur moi.

Je sortis à la station Lionel-Groulx, laissant le jeune couple poursuivre son déchirement dans les souterrains de la ville.

J'avais trouvé un petit deux-pièces à la frontière de Saint-Henri et de la Petite-Bourgogne, rue Notre-Dame. Ce n'était pas très confortable, trop petit et trop défraîchi, mais ce n'était pas cher. Je m'étais dit que je déménagerais dès que j'aurais un peu d'argent de côté, mais ce moment semblait maintenant plus lointain que jamais et je n'y pensais plus guère. Le seul point fort de cet appartement, et c'était un avantage considérable étant donné ma situation, était le propriétaire, qui était un homme d'une gentillesse exceptionnelle. Il tenait un salon de coiffure au rez-de-chaussée de l'immeuble, juste au-dessous de mon appartement. C'était un Égyptien qui avait quitté son pays vingt ans plus tôt, pour des raisons qu'il ne m'avait pas dites mais que je pouvais bien deviner : soit la politique, soit l'amour. Là-bas, il avait enseigné la littérature française.

Albert, c'est ainsi, curieusement, qu'il se faisait appeler, avait l'habitude de réunir des amis et des gens du quartier dans son salon, les soirs de week-end. On y buvait, surtout du thé, et y fumait, le cigare, la pipe, parfois le narguilé. Je me joignais à eux de temps en temps, c'étaient des soirées sympathiques qui se prolongeaient souvent jusqu'aux petites heures du matin.

Avant de monter chez moi, je jetai un coup d'œil par la fenêtre du salon de coiffure. Il y avait sept ou huit personnes. Un des clients du salon, dont je ne connaissais pas le nom, semblait raconter quelque chose à voix basse, peut-être un secret, peut-être une grivoiserie. Albert me vit et vint aussitôt me rejoindre dehors. Il me proposa de me joindre à eux, de prendre une tasse de thé.

— Merci, c'est gentil, mais je crois que je vais monter, je suis complètement crevé.

Il plissa les yeux.

— Oui, dit-il, tu m'as l'air rompu. Reviens-tu du champ de bataille ?

— Presque, répondis-je, faussement insouciant. J'ai essayé un nouveau boulot, dans un restaurant, et ça n'a pas vraiment marché.

— Mais ça n'a rien de surprenant, si tu veux mon avis, ce n'était pas du tout ce qu'il te fallait. Tu devrais te trouver quelque chose de plus intellectuel. La coiffure, par exemple ! Mais bon, ce n'est pas les petits boulots qui manquent, et puis tes histoires de musique finiront bien par déboucher, ne t'en fais pas trop.

Il réitéra ensuite son offre de tasse de thé que je déclinai encore une fois, puis je montai.

Je me serais volontiers effondré sur mon lit en entrant chez moi, mais je voulus d'abord me débarrasser de cette abominable odeur de viande fumée qui me collait à la peau. Je pris une douche, chaude et longue, ce qui me détendit un peu, seulement un peu.

En en sortant, j'eus encore la force d'allumer l'ordinateur pour prendre mon courrier électronique. Je n'y trouvai que différentes offres, toutes assez semblables, visant à améliorer mes performances sexuelles par l'ajout de quelques centimètres à mon appendice viril. Rien d'intéressant.

Comme chaque soir, avant d'éteindre les lumières, j'enfonçai la pédale de mon vibraphone, qui occupait la moitié de la chambre, et caressai une note grave. C'était un son très doux, très rond. Je n'avais pas travaillé l'instrument depuis plus d'une semaine, j'étais rongé de culpabilité. Je m'y remettrai demain, me dis-je, demain matin. J'éteignis.

C'est alors que j'aperçus une petite lumière rouge qui clignotait tout au fond de la pièce, dans la bibliothèque. C'était le répondeur, un appareil auquel je ne m'étais pas encore habitué et qui, d'ailleurs, servait peu. Quelqu'un a appelé, pensai-je. Et, réflexe normal chez les gens désespérés, je me dis que ce message allait peut-être me sortir du pétrin, qui sait. J'actionnai l'engin.

« Ici Jacques Simard de l'Orchestre Symphonique. Écoutez, c'est un peu dernière minute, mais on voudrait vous avoir pour le programme de mardi prochain, seulement pour une pièce. On a des problèmes avec la section de percussions et les surnuméraires sont aux Ballets. Des choses qui arrivent. Si vous êtes d'accord, il faudrait rappeler au plus vite le chef de section, Cardinal, et passer chercher le matériel chez lui demain : on répète après-demain, dimanche, à 10 heures. Je n'ai pas vu la partition, je ne sais pas ce que c'est au juste, mais il paraît que c'est un peu particulier, les gars de la section ne savaient pas trop quoi faire avec ça. Enfin, vous verrez avec Cardinal. »

Et il me dicta le numéro du chef de section, que je notai, tremblant, presque hystérique.

Ça tenait du miracle. Plus qu'inhabituel, cela semblait parfaitement anormal : on ne se fait pas appeler par l'OS de but en blanc pour se faire proposer un contrat, on doit d'abord avoir joué dans tous les petits orchestres de la ville et de la province, s'être fait une réputation à toute épreuve, être quelqu'un. Ce n'était pas mon cas, pas du tout. Il y avait peut-être anguille sous roche, mais qu'à cela ne tienne, soudainement, tout me semblait devenir possible.

Ma fatigue s'était volatilisée. Je me rhabillai en vitesse et descendis retrouver Albert et ses convives.

PIERRE DELAMBRE

On m'avait envoyé une immense Volga noire, voiture qui donne un petit air soviétique à tous les déplacements plus ou moins officiels en Russie. Avec celle-ci, venaient un chauffeur blond, colossal et muet, ainsi qu'une déléguée de l'orchestre, une femme excessivement sérieuse, mi-quarantaine, qui parlait un peu de français, un peu d'anglais, et qui me donnait du maestro sans arrêt.

La banlieue moscovite, exactement comme on se l'imagine, grise et monolithique, défilait à toute vitesse derrière les vitres. Les autres automobilistes, dans le trafic, semblaient nous céder le passage assez volontiers. Je crois que les Moscovites ont un peu peur des Volga noires, surtout lorsque leur conducteur, comme le nôtre, semble faire peu de cas du code de la route. Nous venions de quitter l'aéroport et roulions vers le centre.

Je venais presque chaque année diriger à Moscou. J'y faisais généralement du répertoire français, Debussy, Ravel, Bizet. Franck, même, pour les plus audacieux. L'orchestre était bon. Un beau son de cordes, très profond, avec un vibrato particulièrement émouvant. Les cuivres étaient un peu rustres à mon goût, mais je m'y faisais, c'était la couleur locale. Ce concert-ci était un cas particulier. Il y avait eu un problème avec les horaires, une erreur de communication, et on se retrouvait à devoir monter le programme en une seule répétition qui ferait donc office de générale. Nous avions choisi du répertoire que l'orchestre et moi connaissions sur le bout des doigts, ce qui allait éviter les mauvaises surprises. Somme toute, il n'y avait rien là de particulièrement inquiétant. C'était même plutôt intéressant, j'étais curieux de voir comment les musiciens allaient réagir, eux qui avaient l'habitude de beaucoup répéter et très à l'avance. Je passerais à peine vingt-quatre heures à Moscou.

La femme de l'orchestre, assise devant moi, paraissait intimidée, elle avait le regard fixe et comme une tension dans la mâchoire. Elle me dit, pour se donner une contenance, que nous avions une demi-heure de route à faire. C'était suffisant pour téléphoner à ma femme, ce que je fis.

C'était le début de la matinée à Montréal. Elle venait tout juste de se lever et prenait tranquillement le petit-déjeuner. Je lui dis que j'étais dans une sorte de limousine soviétique, en route vers la salle de concert.

— Et qu'est-ce que tu vois par la fenêtre ? demanda-t-elle.

— Oh, rien de bien spécial, l'autoroute, des publicités de bière, des tours d'habitation, un Ikea, énumérai-je. Toi, tu vois quelque chose, par la fenêtre de la cuisine ?

— Tu dois quand même avoir une petite idée de ce que je vois, non ? répondit-elle en riant. Notre arbre, un lampadaire et puis un tout petit bout de la rue Sherbrooke, un couple qui passe.

— Ils sont jeunes ?

— Difficile à dire, mais certainement plus jeunes que toi et moi, mon chéri !

Nous passâmes un bon moment à discuter de la sorte, si c'est ce qu'on peut appeler discuter. Lorsque je réalisai que le paysage avait changé et que nous arrivions au centre de Moscou, je dus me résoudre à lui souhaiter bonne journée.

— À demain, mon amour, me dit-elle avant de raccrocher. Et fais un tabac à Moscou, comme toujours !

Lorsque j'étais en déplacement, et je l'étais plus souvent qu'à mon tour, il m'arrivait de téléphoner à ma femme une bonne dizaine de fois par jour. Sans ces appels, je dois dire que mon travail aurait été une torture. Anne-Marie et moi étions soudés l'un à l'autre, ni plus ni moins. Nos amis disaient que nous étions un véritable couple d'adolescents, à cinquante-deux ans. C'était vrai. Je me sentais jeune, grâce à elle, et c'est cette jeunesse que je transmettais à mes musiciens, c'était ma force, c'était mon talent.

Et je le ressentais d'autant plus que cela n'avait pas toujours été le cas ; les débuts de notre relation, quelque vingt-cinq ans plus tôt, avaient été plutôt mouvementés. Je venais d'un milieu où la stabilité amoureuse était suspecte, où on considérait que le mariage nuisait à l'inspiration, sapait l'énergie vitale. Lorsque je m'étais engagé avec Anne-Marie, une partie de moi avait refusé d'admettre cet engagement. J'avais donc continué à mener, plus ou moins secrètement, une vie amoureuse ouverte et débridée faite des multiples rencontres furtives que m'offraient les voyages, les concerts. Mais, plutôt que de me libérer, ces rencontres m'avaient enchaîné chaque jour plus solidement à ces zones sombres et douloureuses de moi-même, à une vie hors de mon contrôle. Après quelques années de ce régime, les demi-mensonges quotidiens, les promesses non tenues m'avaient rendu amer et méfiant, à tel point qu'il était surprenant que je fusse encore aimé d'une femme. Et c'est lorsque j'avais réalisé que je l'étais, qu'Anne-Marie m'aimait sincèrement et profondément malgré tout, que j'avais enfin fait l'effort de changer de vie. Anne-Marie m'avait proposé une espèce de pacte, un pacte de fidélité dans lequel j'avais mis toute la sincérité que je n'avais pas su mettre dans notre mariage dès le départ, et j'étais devenu un nouvel homme, un homme heureux, enfin.

Nous étions arrivés à l'avance à la Philharmonie, où se tiendraient la répétition et le concert. J'eus donc une petite demi-heure pour relire les partitions, dans ma loge. Nous faisions, ce soir-là, la *Valse* de Ravel, le *Concerto pour violon en mi mineur* de Mendelssohn, puis, après l'entracte, les *Tableaux* de Moussorgski, dans l'orchestration de Ravel. Je suppose qu'il était intéressant, pour le public moscovite, d'entendre un chef français diriger leur orchestre dans une œuvre russe orchestrée par un Français. D'ailleurs, pour moi aussi, c'était intéressant. Le Mendelssohn m'avait été, d'une certaine façon, imposé. Les administrateurs et le chef principal de l'orchestre espéraient faire salle comble grâce à la soliste, Svetlana Vassilieva, la violoniste de l'heure en Russie. Vassilieva faisait le circuit des grands orchestres européens et américains depuis quelques années, mais nous n'avions jamais joué ensemble, ne nous étions même jamais rencontrés. J'avais entendu quelques-uns de ses enregistrements, son Mendelssohn, notamment. C'était bien, mais un peu convenu. Plusieurs l'accusaient de devoir une partie de son succès aux poses suggestives qu'elle prenait sur la pochette de ses disques. À mon avis, c'était simplement la mode, on en était là, à vouloir

« érotiser » la musique classique, on ne devait pas accuser les musiciens.

J'eus une visite du premier trompettiste, un gros homme chauve, qui voulait savoir à quel tempo je comptais prendre le sixième tableau de Moussorgski, dans lequel il jouait en solo. Je pris un air impatient pour qu'il comprenne bien qu'il m'embêtait.

— Vous voulez connaître le tempo d'avance? demandai-je.

Il comprit tout de suite qu'il n'aurait pas dû venir me poser cette question.

— C'est que… comme nous ne répétons presque pas… je me suis dit que… ce serait peut-être plus sûr…

La paresse des musiciens d'orchestre est vraiment sans limite, pensai-je.

— Eh bien, mon cher ami, dis-je un peu durement, je n'ai aucune idée du tempo que je vais prendre. D'ailleurs, il suffirait que je vous dise un tempo pour que j'en prenne un autre, je suis comme ça ! Vous n'aurez qu'à me regarder.

Le trompettiste sortit, un peu penaud, puis, presque aussitôt, on vint me présenter la soliste. Vassilieva était une jolie femme, grande et mince, qui semblait assez sûre d'elle. Elle n'avait sans doute pas même vingt-cinq ans et aurait pu être ma fille. Elle me serra la main, comme un homme.

— C'est un immense honneur pour moi de jouer avec vous ce soir, dit-elle dans un français impeccable.

— Mais tout l'honneur est pour moi, mademoiselle, répondis-je en m'inclinant avec cérémonie.

Elle me transmit les salutations d'un collègue allemand avec lequel elle venait de travailler à Hambourg, puis nous discutâmes brièvement du *Concerto*. Elle m'indiqua dans la partition ce qu'elle considérait comme les « particularités » de son interprétation, une pause, un retard, quelques petites inflexions dans les nuances, rien qui ne semblât très particulier.

— J'aurais voulu vous montrer un peu avec l'instrument, dit-elle, mais je crois que vous devez aller répéter maintenant, non ?

— Oui, je vais devoir aller faire la *Valse*. C'est bien malheureux d'être aussi pressés, mais qu'y pouvons-nous… Ce sera à vous dans une demi-heure. Quoi qu'il en soit, ne vous en faites pas, je serai à l'affût de vos moindres fantaisies, vous ne sentirez pas l'orchestre.

En montant sur le podium, je sentis tout de suite que les musiciens étaient nerveux. Plusieurs regards anxieux étaient fixés sur moi. Ils avaient peur que je fasse des folies sans avertir, et ils avaient bien raison d'avoir peur. C'était ma réputation, parfaitement justifiée : je ne jouais jamais une œuvre deux fois de la même façon. J'aimais laisser l'œuvre s'imprégner de chaque moment qu'elle traversait, du contexte de chaque répétition et de chaque concert, de mes états d'âme et de ceux des musiciens. J'étais un chef d'orchestre spontané et je voulais créer une musique vivante, véritablement vivante. Mes musiciens devaient donc être prêts à tout, et ils le savaient. Cette nervosité était un bon signe : un orchestre un peu nerveux est davantage aux aguets et, en général, suit mieux. Évidemment, il y a une limite à ne pas franchir, au-delà de laquelle les musiciens se mettent à faire des erreurs. Il faut savoir doser.

La *Valse* de Ravel ne posait pas de très grands problèmes, c'était simplement un peu lourd. Je tentai d'alléger les vents et la percussion pour donner plus de transparence à la texture, mais je réalisai que je n'obtiendrais pas un résultat aussi scintillant qu'avec mon orchestre de Montréal. Néanmoins, en travaillant un peu l'élan de l'ensemble, j'arrivai à quelque chose d'acceptable, et ce serait encore mieux au concert.

Je passai donc assez rapidement au *Concerto* de Mendelssohn. Mon intention était d'expédier le plus rapidement possible le travail sur le *Concerto* afin de consacrer plus de temps au Moussorgski, une œuvre plus complexe à tous égards. On fit venir la soliste, qui fut chaudement accueillie par les musiciens de l'orchestre. Elle serra quelques mains, fit même la bise à quelques-unes des violonistes, sans doute d'anciennes camarades de conservatoire. Elle était de Moscou et avait joué assez souvent avec cet orchestre, m'avait-on dit. C'était tant mieux, le travail en serait d'autant simplifié.

On fit un nouvel accord. Du bout de ma baguette, je proposai un tempo à Vassilieva, qu'elle trouva trop rapide. Elle opta pour quelque chose de franchement plus lent qui me sembla assez extrême, presque dangereux, mais on verrait bien, c'était à elle de décider. Je lançai doucement l'orchestre, qui saisit tout de suite le tempo.

Puis, dans les six ou sept premières secondes de l'œuvre, qui ne font que préparer l'entrée du violon, je sentis que quelque chose allait se produire. On eût dit que la consistance de l'air avait changé, que la lumière crue dans laquelle nous baignions avait tout à coup une qualité, un poids différents. Et, lorsque Svetlana entra sur le premier thème, j'eus le souffle coupé. C'était un son surnaturel, tout à fait inouï, comme la voix d'un ange ou celle de la Vierge Marie. Cette mélodie, que j'avais entendue des milliers de fois, était complètement transfigurée, d'une tristesse profonde, insondable. C'était, vraiment, à en vouloir mourir, là, sur-le-champ. Je grelottais, les musiciens de l'orchestre étaient en transe, et la musique continuait comme d'elle-même. Svetlana, les yeux clos, en prière, tenait l'orchestre au bout de son archet. Et ce fut ainsi tout au long des trois mouvements, que nous enchaînâmes sans arrêter, ce qui était pratiquement impossible, contre nature. C'était parfait, même au-delà de la perfection, et je n'avais pas grand-chose à y voir. Je réalisai que j'avais affaire à une grande musicienne.

Il y eut un long silence à la fin de la pièce, que Svetlana brisa en ouvrant les yeux, en souriant et en demandant à reprendre quelques passages, ce qui fut fait rapidement. Elle ne voulait pas se fatiguer inutilement et savait que j'avais besoin de temps pour le Moussorgski, quoiqu'au point où nous en étions, j'aurais volontiers continué à répéter avec elle pendant une autre heure. Elle quitta la scène sous les battements de pieds et d'archets des musiciens, qui étaient tous sous son charme. Moi aussi, j'étais passablement ébranlé et aurais eu du mal à mettre des mots sur ce qui venait de se produire.

On fit une pause, que j'occupai à peaufiner mon plan de répétition pour le Moussorgski. Mais j'avais l'esprit volatil, il me semblait qu'il y avait quelque chose à comprendre dans ce qui venait de se passer, qu'il y avait des leçons à en tirer, que je devais réagir d'une façon ou d'une autre. Je ne parvenais pas à y réfléchir vraiment et j'étais conscient que ce n'était pas le moment, que j'avais du travail à faire.

La suite de la répétition se déroula sans heurts, mais je n'étais pas à mon meilleur. Je fis ce qui me sembla être le minimum, en tentant de garder une certaine assurance, et les musiciens n'y virent que du feu. Je répétai sur des tempos sécuritaires, m'attardant surtout à placer la balance, qui ne me plaisait jamais tout à fait. Puis, à l'heure dite, je levai la répétition.

*

Les administrateurs de l'orchestre avaient vu juste : lorsque j'entrai en scène, ce soir-là, je constatai que la salle était comble. Je saluai, me tournai vers l'orchestre. Cette fois, aucune nervosité apparente du côté des musiciens ; c'est moi qui n'allais pas bien. Cette étrange anxiété qui était apparue après la répétition du Mendelssohn ne m'avait pas lâché.

J'engageai la *Valse* de Ravel et, après quelques mesures à peine, je sentis que je n'avais plus tout à fait le contrôle de l'orchestre. Il y avait de légers décalages, presque des dérapages, et l'ensemble s'alourdissait peu à peu. Je dus faire des efforts surhumains pour éviter la catastrophe et garder le bateau à flot. Je parvins malgré tout à mener l'œuvre à son terme, laissant derrière moi ce qui fut sans doute ma pire interprétation à vie. Lorsque se firent enfin entendre les applaudissements mesurés de la salle, j'étais exténué, comme si je venais de diriger *Parsifal*.

Je sortis de scène le temps qu'on replace chaises et lutrins pour le *Concerto*. Je retrouvai Svetlana dans les coulisses.

— Ça va ? demanda-t-elle.

— Oui, ça va, dis-je sans trop oser la regarder.

On nous fit remonter sur scène, où des applaudissements beaucoup plus nourris nous accueillirent. Svetlana portait une robe blanche d'un goût parfait, elle était superbe. J'étais dans une sorte d'état second, j'avais l'impression d'avoir perdu mes moyens, je m'attendais au pire, mais je donnai la levée.

Ce fut, comme quelques heures plus tôt, aérien, éthéré et douloureusement triste. On avait peine à croire qu'il y eût quoi que ce soit d'humain derrière le son de ce violon. C'était la musique d'un autre monde. Je bougeais machinalement devant l'orchestre qui, pourtant, suivait parfaitement bien la soliste. Le public était muet.

C'est lorsque arriva la fin de la cadence du violon solo que je compris enfin ce qui était en jeu, ce qui m'arrivait. Je me tournai légèrement vers Svetlana pour faire entrer l'orchestre à son signal, son regard attrapa le mien. À cet instant, une digue se brisa en moi et je fus envahi par un désir furieux et comme incontrôlable, le désir de faire l'amour avec cette femme. Mon corps et mon esprit furent tout entiers irrigués de ce désir ; je me sentis devenir un surhomme. Je fis entrer l'orchestre et tout changea. J'avais repris les musiciens en main et c'était maintenant une sorte de combat que j'engageais avec la mélodie du violon. Svetlana comprit tout à la perfection. La pureté de la mélodie devint langueur, la brillance se changea en frénésie. L'orchestre se lança corps et âme dans ce duel. Le *Concerto* de Mendelssohn était devenu une sorte de cérémonie charnelle, de rituel érotique.

Une fois la dernière note lancée, je me retrouvai dans l'incertitude : que venions-nous de faire au juste, avions-nous détruit l'œuvre ? Le public, quant à lui, n'hésita pas et fit un véritable triomphe à la soliste.

Après l'entracte, je donnai la même fureur et la même frénésie aux *Tableaux* de Moussorgski. Ce fut une interprétation étrange qui, je crois, déstabilisa tout le monde, public et musiciens. C'est l'image de Svetlana, de son corps, le désir brutal que j'en avais, qui furent transmis à la musique. En l'espace de quelques minutes, les vingt dernières années de ma vie s'étaient effacées, j'étais redevenu ce jeune homme qui passait d'une étreinte à l'autre, dont la soif ne s'étanchait pas. Cette métamorphose m'enivrait complètement.

*

Ensuite, les choses se précipitèrent. On me traîna à gauche et à droite, à travers les multiples salles d'apparat de la Philharmonie. Je dus jouer le jeu, sourire, serrer des mains, être accessible. Partout, je cherchais Svetlana du regard, j'étais impatient, j'avais peur de la perdre pour de bon. J'avais un mal infini à garder mon sang-froid, à rester calme.

Puis, finalement, je me retrouvai assis à sa gauche, dans un restaurant où on nous avait amenés chacun de notre côté. Une dizaine de personnes étaient avec nous, le directeur de l'orchestre, des musiciens, quelques critiques. Entre Svetlana et moi, la glace avait été largement brisée pendant le concert, devant deux mille personnes. Mais lorsque, au cours du repas, l'attention ne se fixa plus exclusivement sur nous, nous pûmes faire connaissance de façon plus terre à terre. Le fait que nous parlions français, parmi tous ces Russes, avait pour effet de nous isoler sensiblement, ce qui arrangeait les choses. Il y avait entre nous cette tension qui ne mentait pas et qu'on ne pouvait pas manquer, quelque chose que je n'avais pas senti depuis de très nombreuses années. Je jouais le jeu de la séduction à la perfection, me semblait-il. Ces gestes et ces regards, dont j'avais pourtant perdu l'habitude, me revenaient naturellement. Tout semblait entendu d'avance et Svetlana, en partenaire idéale, ne tarda pas à en venir à l'essentiel :

— Tu es marié ?

Oui, je l'étais, et elle pas.

— Tu pars quand ?

— Demain matin.

Nous convînmes par signes et sous-entendus d'un petit stratagème qui nous permettrait de nous soustraire à la foule, stratagème que j'avais employé nombre de fois dans mon ancienne vie. Je partirais d'abord, prétextant la fatigue et mes engagements à Montréal pour le lendemain, puis je l'attendrais dehors où elle me rejoindrait quelques minutes plus tard. Je passai quinze minutes à serrer les mains des convives, le directeur me parla d'une invitation pour l'année suivante, les critiques me répétèrent qu'ils avaient été bouleversés par notre concert, puis je sortis.

C'est une fois dehors, seul sur le trottoir, que je revins à moi. Je sentis l'air entrer et sortir de mes poumons, mon cœur battre, le sang circuler dans mes veines comme si je venais de retrouver mon corps après en avoir été privé pendant quelques heures. Puis, comme une autre partie de mon corps dont j'aurais subitement recouvré l'usage, me revint le souvenir d'Anne-Marie. Une petite masse de culpabilité apparut dans ma poitrine et monta lentement et douloureusement jusqu'à ma gorge. Des larmes brûlantes m'emplirent les yeux. Il faisait froid, il pleuvait et, pour la deuxième fois ce jour-là, j'eus envie de mourir, là, sur-le-champ. J'étais face à une frontière que je ne pourrais pas franchir, je le savais. Le désir, qui était encore là, partout, me brûlait les entrailles, j'avais mal. Mais ce qui me faisait mal par-dessus tout, c'était la peur terrible d'être déjà allé trop loin.

Je partis en direction de mon hôtel. Svetlana me chercherait en vain.

SAMEDI

JUSTINE BIRON

Il s'appelait Fernand Saint-Pierre. Je l'avais en horreur. Il n'avait encore rien dit, était encore en train de traîner de peine et de misère son embonpoint jusqu'au micro avec un sourire essoufflé, mais j'aurais pu prévoir chacune des phrases de son discours, du début à la fin et, surtout, je savais qu'il ne ferait aucune mention de mon travail, pas même en passant, pas même pour la forme.

« Mes chers amis, mes très chers amis, chers amis de l'Art, chers amis des Artistes, je suis heureux, extrêmement heureux, de vous voir en si grand nombre réunis ici ce soir. C'est, en un sens, un lancement bien triste. Triste, oui, triste, parce qu'il nous rappelle le vide terrible laissé par le départ de ce grand artiste et, pour plusieurs d'entre nous, de ce grand ami, qu'était André Biron. Mais c'est surtout, je crois, un événement heureux qui contribuera au rayonnement de l'œuvre de Biron, et tout particulièrement à celui de son travail des quelques années qui ont précédé sa mort, travail encore trop peu connu que ce nouveau catalogue, le plus complet à ce jour et, je dois dire, aussi le plus beau, met parfaitement en lumière. Ils sont rares, les artistes dont on peut dire qu'ils ont façonné de leurs mains le Québec contemporain. Biron est de ceux-là. Ils sont rares, les artistes québécois dont le travail a acquis une notoriété internationale incontestable et durable. Biron est de ceux-là. Ils sont rares, les artistes qui parviennent à renouveler continuellement leur pratique, qui savent laisser derrière eux les filons épuisés et qui maintiennent, tout au long d'une carrière de plusieurs décennies, leur rôle d'explorateurs, de défricheurs. André Biron était de ceux-là. Pour moi, et je n'hésite pas à le dire, André Biron est le plus grand sculpteur de ce pays, et peut-être son plus authentique créateur. Je suis heureux et fier d'être associé à la parution de ce catalogue. »

Et ainsi de suite, une véritable homélie, un ramassis de banalités noyées dans les bons sentiments. Saint-Pierre était un très mauvais orateur et bien qu'il fût le conservateur d'un musée somme toute relativement important, je n'avais jamais trouvé en lui le moindre soupçon, la moindre trace de sensibilité artistique. Il s'était associé à mon père lorsque sa cote était en ascension et l'avait systématiquement laissé tomber dans les périodes creuses. C'était un rapace. Et je ne pouvais m'empêcher de penser qu'il en était ainsi de la plupart des personnes réunies pour le lancement de ce foutu catalogue. Je n'avais aucun respect pour ces gens.

Tel que prévu, Saint-Pierre ne parlait pas de moi. La fifille de l'artiste, c'était une quantité négligeable, même si c'était elle qui se tapait tout le boulot. Combien d'heures avais-je passées à négocier avec les collectionneurs, les galeristes, les historiens de l'art, les critiques, combien de jours avais-je perdus à exhumer des croquis incompréhensibles, des notes de travail illisibles du fouillis indescriptible qu'avait laissé mon père dans son atelier ? Ce catalogue était le produit de mon travail, fait indéniable, et mon nom n'y était imprimé qu'en un seul endroit, à la page des remerciements, et encore en septième position, entre je ne sais quelle banque et je ne sais quelle fondation. Et avoir droit, en plus, au mépris le plus complet de ces messieurs les « bons amis » d'André Biron... Lui, mon père, avait toujours su à quoi s'en tenir : « Ils veulent juste que je crève au plus vite, les ostis ! »

J'aurais sans doute dû mettre le holà, me révolter d'une façon ou d'une autre, mais je n'étais pas certaine d'en avoir la force. J'étais trop sage, trop douce. Et puis il fallait bien que quelqu'un tienne le fort.

Il avait été clair pour toute la famille une dizaine d'années plus tôt, lorsque je m'étais inscrite en histoire de l'art à l'université, que c'était à moi que reviendrait ce travail. J'étais peut-être la seule, à l'époque, à n'en avoir pas eu pleinement conscience. Et ça a commencé bien avant la mort de papa. Il se faisait vieux, sa santé était mauvaise, très mauvaise, il voulait de moins en moins sortir, je me suis donc retrouvée à le représenter un peu partout. C'était un travail qui avait ses avantages : je voyageais beaucoup, je rencontrais des gens intéressants, et puis ça me permettait de gagner un peu d'argent sans m'éloigner du domaine de l'art. Ce n'est que très graduellement que ce rôle de porte-parole, de personne abstraite en quelque sorte, a commencé à me peser. Une fois ma maîtrise terminée, j'ai eu envie de me trouver autre chose, un vrai travail, d'être autonome et d'avoir une relation plus « normale » avec mes parents, mais j'ai réalisé que j'étais prise au piège, que j'étais devenue essentielle à mon père et qu'on aurait perçu mon éloignement comme un acte de guerre. Même, j'ai compris qu'on avait attendu la fin de mes études avec impatience, que ma disponibilité complète marquerait le point final de la vie sociale de mon père. C'était moi qui devrais dorénavant la mener à sa place.

Saint-Pierre avait terminé son discours. La masse des invités se réactiva, à la manière d'un banc de poissons exotiques. Le vin se remit à couler, les canapés à tourner. Je m'étais tenue un peu en retrait pendant le discours, adossée à une colonne, façon de m'en dissocier en quelque sorte. Je vis venir un verre de vin blanc, tenu bien haut, qui fendait la foule en ma direction. Apparurent ensuite le bras, l'épaule puis la tête de Gascon, journaliste du *Devoir,* un homme sympathique mais un peu collant. Il m'embrassa.

— Comment ça va, Justine? Le catalogue est magnifique, vraiment magnifique! T'es contente? Ils ont fait du beau travail, non?

Lui non plus ne saisissait pas tout à fait le rôle que j'avais joué, mais comment lui en vouloir, Gascon était quelqu'un de tout à fait inoffensif.

— Oui, répondis-je, c'est un beau catalogue, je crois que ça va être utile.

— Certainement, que ça va être utile, renchérit-il. Et il était temps qu'on montre les œuvres de la dernière période.

Il se rapprocha un peu de moi, plissa l'œil gauche et continua:

— Tu sais, ça n'engage que moi, mais de plus en plus, je me prends à penser que ses dernières sculptures sont ce qu'il a fait de mieux. Par ce retour au figuratif, à la nature, aux animaux, je crois qu'il est allé chercher quelque chose de fondamental. Et après ça, on ne peut plus regarder ses cubes des années cinquante de la même façon. Personnellement, je ne vois pas de rupture dans son œuvre, je vois une lente et constante évolution qui devait nécessairement mener vers des œuvres comme *L'ours de bronze.*

Et Gascon se retourna pour regarder *L'ours,* qui se trouvait à quelques mètres derrière nous. C'était l'une des toutes dernières œuvres de papa. Le musée en avait fait l'acquisition et venait de l'installer dans le hall d'entrée.

— C'est magnifique, puissant, effrayant, dit-il théâtralement.

J'avais pour règle de ne pas discuter de l'œuvre de mon père, et surtout pas de sa dernière période. De voir dans son « retour au figuratif » l'aboutissement et le parachèvement de toute sa démarche créatrice était devenu consensuel dans le milieu de l'art très rapidement après sa mort. Cela avait accentué la remontée de sa cote, ce dont personne ne se plaindrait. Pour ma part, je savais ce qu'il en était : ces sculptures d'animaux, de poissons et d'oiseaux, faites pour la plupart de matériaux précieux, étaient le travail d'un homme malade, brisé par la vie et déjà à moitié sénile.

L'ours de bronze me rappelait immanquablement un souvenir douloureux. Le jour où mon père l'avait terminé, je me trouvai à passer dans son atelier à la recherche d'un document quelconque. Il était assis devant *L'ours*, vidant une énième bouteille de scotch. On ne pouvait vraiment parler à mon père que lorsqu'il était fin soûl, c'était dans ces moments qu'il était le plus lucide. Il n'avait pas semblé me voir entrer dans l'atelier, mais lorsque je passai à côté de lui, il dit d'une voix douce et tremblante, en montrant la sculpture :

— Ça, ma fille, c'est de la crisse de cochonnerie…

Jamais je ne l'avais entendu condamner son travail aussi radicalement. Le mélange de colère et de désespoir avec lequel il avait prononcé cette sentence donnait l'impression qu'on l'avait forcé à couler ce bronze, qu'il n'était pas totalement responsable. Je tentai de le consoler, lui dis qu'il était sur une bonne lancée, que le travail avançait, mais rien n'y fit. Il ne prononça plus une seule parole ce soir-là et, lorsque je sortis de l'atelier, j'eus l'impression de le voir pleurer doucement. Il avait alors quatre-vingt-huit ans, il lui restait moins d'un an à vivre.

Gascon contemplait toujours la sculpture.

— C'est bête, finit-il par dire, mais il me manque, André. Il n'était plus jeune, c'est sûr, mais il est quand même parti trop tôt.

Je hochai la tête. C'était exaspérant mais j'avais fini par m'y habituer un peu : des gens qui l'avaient à peine connu s'en faisaient maintenant un ami proche et ne manquaient pas une occasion de se souvenir avec émotion de « ce cher André ». Au moins, avec Gascon, c'était sans arrière-pensées, il ne tirait aucun profit tangible de ces petites exagérations.

Il me fit encore quelques observations magistrales sur l'œuvre de mon père, observations dont il comptait éventuellement faire un article. Il s'éloigna ensuite, se servant toujours de son verre, maintenant vide, pour fendre la foule. Et, dans le sillon de Gascon, je vis apparaître mon demi-frère, Stéphane, qui semblait avoir observé de loin ma conversation avec le journaliste. Merde, pensai-je. Il vint vers moi et lança de sa petite voix grinçante :

— Salut, Justine ! On fait la fraîche avec les journalistes ?

Visiblement, il avait quelques verres d'avance. Il n'était habituellement pas si prompt à déclencher les hostilités.

— C'est bon, Stéphane, on va pas s'engueuler ici, quand même. Merci d'être venu me dire bonsoir, tu peux retourner voir ta femme.

— Elle est même pas là, ma femme. Je suis venu tout seul, qu'est-ce que tu dis de ça ? Et puis je veux pas qu'on s'engueule, moi, pourquoi on s'engueulerait ? Je suis venu pour regarder *L'ours* de papa.

Et, comme Gascon l'avait fait quelques instants plus tôt, il se retourna pour contempler *L'ours*.

Stéphane avait une quinzaine d'années de plus que moi, mais il s'était toujours comporté comme un enfant. Il était capricieux, irascible, souvent méchant et parfois franchement stupide. Et cette guerre dans laquelle nous étions embourbés n'arrangeait rien. Parce que, oui, nous étions en guerre.

La mère de Stéphane avait été la première épouse de mon père. Ils s'étaient rencontrés à Paris, dans les années cinquante. C'était l'époque où André Biron, le « sculpteur canadien », était la coqueluche du Tout-Paris. Hélène, Québécoise elle aussi, préparait alors une thèse de philosophie à la Sorbonne. C'était une femme extrêmement combative, comme toute femme voulant se faire une place dans le monde devait l'être à l'époque, au tempérament passablement houleux. Le couple était d'ailleurs célèbre pour ses prises de bec en public qui dégénéraient souvent en véritables batailles, dont Hélène sortait rarement la plus meurtrie. Au début des années soixante, peu après la naissance de Stéphane, la popularité de mon père à Paris se fana soudainement ; il fallut rentrer au Québec. Malgré l'accueil triomphal que lui firent ses compatriotes, la réacclimatation fut pénible. L'isolement relatif dans lequel Hélène et mon père se retrouvèrent finit par avoir raison de leur couple. Aux yeux de tous, la rupture était inévitable, mais il semble que mon père aurait voulu que leur relation tienne bon, aussi ne pardonna-t-il jamais à Hélène d'avoir elle-même entrepris les procédures de divorce.

S'en suivit une période de dépression intense à l'issue de laquelle mon père prit la décision étrange de retourner vivre dans sa ville natale, Sorel, se condamnant ainsi à un isolement quasi complet. Sorel est une petite ville industrielle assez peu coquette, à mi-chemin entre Montréal et Trois-Rivières. Même si j'y ai passé mon enfance et que je ne peux me défaire d'un certain attachement pour cette ville, je dois admettre qu'à plusieurs reprises au cours de mon adolescence, j'ai maudit mon père d'avoir choisi de retourner dans ce « trou ». Mon grand-père paternel avait passé toute sa vie dans l'une des immenses fonderies installées le long du fleuve Saint-Laurent. Il avait d'abord fondu des pièces de bateau, puis des canons, participant à l'effort de guerre. Il était mort d'une crise cardiaque le jour même de la capitulation de Berlin, capitulation qui allait mettre fin aux beaux jours de l'industrie soreloise. Mon père avait donc grandi dans un environnement industriel impitoyable où on ne pouvait gagner sa vie qu'en menant un combat quotidien contre une matière première hostile. Et c'est aussi à ce combat qu'il avait consacré sa vie.

Ce retour aux sources lui fut bénéfique. Il put se remettre au travail et entamer une nouvelle phase créatrice. Durant ce qu'on appelait déjà sa « période parisienne », il n'avait travaillé qu'un seul matériau, la pierre, produisant principalement une série de cubes de pierre de différentes dimensions qui avaient fait sa réputation. À Sorel, il abandonna définitivement la pierre pour se tourner vers le métal. L'une des fonderies de la ville, en manque de travail, lui permit d'utiliser occasionnellement ses installations et quelques-uns de ses employés. Cette collaboration, qui devint rapidement une source de fierté pour l'entreprise, dura jusqu'à la mort de mon père. C'est donc sur ces bases que s'élabora la majeure partie de son œuvre, qui resta axée sur l'assemblage de volumes géométriques simples et massifs, jusqu'au brusque retour au figuratif de ses dernières années.

Ma mère entra dans sa vie à la fin des années soixante-dix. Elle n'avait pas encore trente ans, et mon père approchait des soixante. C'était une jeune fille d'une beauté entêtante, disait-on, toujours rieuse, enjouée, un vrai réservoir de bonheur. Toute la famille de ma mère avait eu beau la mettre en garde contre cette relation avec un homme trop âgé dont elle deviendrait tôt ou tard le bâton de vieillesse, elle s'attacha à lui et ne le quitta plus jusqu'à sa mort. Je suis probablement née de l'une de leurs premières étreintes.

À la mort de papa, on ne trouva qu'un testament bref et bâclé qui laissait une multitude de zones d'ombre quant au partage du patrimoine entre les deux branches de la famille, Hélène et Stéphane d'un côté, ma mère et moi de l'autre. Et c'est à démêler ce partage que nous travaillions, par avocats interposés, ce qui avait exacerbé les tensions existant déjà entre nous. D'autant plus que tout le patrimoine, qui était considérable, devait rester intact jusqu'à ce qu'un règlement soit trouvé ; nous étions tous dans une position inconfortable.

Stéphane se retourna vers moi.

— Quand même, dit-il, entre toi et moi, les cubes de pierre, c'était plus classe.

Là-dessus, au moins, on était d'accord. Mais avant que j'aie pu répondre quoi que ce soit, je fus soudainement attrapée par le bras droit :

— Ma chérie ! Je te cherchais partout ! Comment ça va ? Bravo encore, pour le catalogue, c'est magnifique, je suis tellement émue, je n'arrête plus de pleurer, pas toi ? Oh là là, quelle belle soirée ! Ça rappelle des souvenirs, tu trouves pas ? On dirait qu'André va apparaître d'un moment à l'autre...

C'était maman, un peu pompette elle aussi. Elle m'embrassa, me serra dans ses bras. Elle était sincèrement émue, ce qui n'était pas rare : maman avait toujours eu l'alcool sentimental. Elle réalisa ensuite que j'étais avec Stéphane, n'en fut pas dérangée le moins du monde et l'assaillit lui aussi.

— Stéphane, je suis tellement contente de te voir ! C'est bien qu'on soit au complet, il faut qu'on se tienne ! Ta mère n'est pas là ? C'est dommage.

Stéphane, pris par surprise, n'avait pas l'air de savoir comment réagir. Mais ma mère ne lui en laissa pas le temps.

— Et puis, je suis contente de vous voir réconciliés, tous les deux. Vous êtes bien, maintenant, non ? Tout à fait bien ? Oui. Il ne faut pas laisser ces histoires de succession nous monter à la tête, n'est-ce pas ? Il faut garder la tête froide, n'est-ce pas ? Et les bons comptes font les bons amis, et puis boule qui roule n'amasse pas mousse, hein ?

Mon demi-frère semblait trouver tout cela de moins en moins drôle. Il profita d'une pause que fit ma mère pour avaler une gorgée de vin rouge et envoya :

— C'est facile de garder la tête froide quand on est certain d'empocher le magot.

Maman fronça les sourcils, soit qu'elle n'eût pas compris, soit qu'elle ne voulût pas avoir compris.

— Qu'est-ce que tu dis, mon chaton ?

Stéphane répéta sa saillie, plus fort, assez fort pour que quelques-unes des conversations environnantes s'interrompent et qu'on se mette à nous observer discrètement. Cette fois, maman avait parfaitement compris. Elle prit une autre gorgée de rouge, une grande gorgée. Il était temps que j'intervienne.

— Viens, maman, dis-je doucement, t'as parlé à Gascon ? Il veut faire un article sur le catalogue…

Mais elle ne me prêta pas la moindre attention. Elle était comme pétrifiée et ses yeux s'emplissaient lentement de larmes tandis qu'elle fixait Stéphane, que ce regard décontenançait un peu.

— Pourquoi faut-il que ce soit si compliqué ? murmura-t-elle. Ça devait être simple. André voulait que ce soit simple. Pourquoi êtes-vous toujours sur mon dos comme ça, hein?

Je l'interrompis, sachant que c'était ma dernière chance d'empêcher la catastrophe.

— Ça va, maman, n'écoute pas ce que dit Stéphane, il est juste soûl.

— Je suis pas soûl, Justine, intervint l'intéressé. S'il y a quelqu'un de soûl, ici, c'est bien ta mère!

Il avait franchi le point de non-retour, ma mère allait faire un drame. Elle prit une grande inspiration, comme la Callas avant une *aria*, et les imprécations se mirent à couler de sa bouche dans un crescendo terrifiant:

— Vous voulez ma mort! Vous l'avez tué, lui, et maintenant c'est à mon tour! Des croque-morts! Vous êtes une bande de croque-morts! Des charognards! Mais je ne me laisserai pas faire! Oh non!! Tenez-vous bien! Je vous avertis!!

Et ainsi de suite, sans discontinuer. Toutes les conversations s'étaient éteintes, tous les regards étaient braqués sur ma mère et sur Stéphane qui, l'air renfrogné, n'essayait même plus de se défendre.

Je tentai cinq ou six fois d'arrêter ma mère, mais ce fut peine perdue. Tout le monde était au courant du conflit entourant la succession, ce pourquoi personne n'osait intervenir: c'eût été, en quelque sorte, prendre position pour l'une ou l'autre des parties. Je lançai un regard à la ronde et ne vis que des gens qui détournaient les yeux, question d'éviter à tout prix d'être mêlés à cette histoire. C'était à moi de tout arranger, encore une fois.

Mais, cette fois, je refusai. Je n'en pouvais plus de me faire ainsi humilier publiquement. Et je ne pouvais m'empêcher d'avoir le sentiment que ces invectives de ma mère s'adressaient aussi à moi, que c'était encore une couche d'ingratitude, qu'on m'injuriait plutôt que de me dire merci, tout simplement merci. Qui m'avait remerciée pour mon travail depuis la mort de mon père ? Et même lui, ne m'avait-il pas toujours tenue pour acquise ?

Je m'approchai de ma mère et lui dis à l'oreille, pour qu'elle entende à travers ses hurlements :

— Maman, je m'en vais.

Aucune réaction de sa part. Je partis donc lentement vers le vestiaire sous les regards inquiets de la foule et, une fois mes effets récupérés, je sortis du musée, laissant ma mère continuer à s'égosiller toute seule ; quelqu'un finirait bien par faire quelque chose.

Le vent doux et caressant de cette belle soirée d'automne me fit du bien. Et c'est ce soir-là, en levant le bras pour appeler le taxi qui me ramènerait chez moi, que je décidai qu'il fallait que les choses changent une fois pour toutes. Que j'avais trop enduré, que je méritais mieux et qu'il était grand temps que je reprenne le contrôle de mon existence.

LOUIS

Je n'avais presque jamais mis les pieds à Outremont. Ni moi, évidemment, ni aucune de mes connaissances n'étions assez riches pour y habiter. Et cette partie du quartier où vivait Cardinal m'était jusqu'alors parfaitement inconnue. Je fus assez surpris par le calme qui y régnait, par la quantité d'arbres et de verdure qu'on voyait partout, par l'opulence des maisons. Mais, à vrai dire, je ne profitais pas vraiment des attraits de cette promenade, je me sentais plutôt mal à l'aise, comme déplacé, et j'avais l'impression que les quelques passants que je croisais me regardaient avec méfiance, qu'on m'épiait depuis les fenêtres des maisons.

Cardinal m'avait donné rendez-vous à onze heures, en ce samedi matin. J'avais si peur d'être en retard que j'arrivai en vue de sa maison avec presque une demi-heure d'avance. C'était une jolie demeure bourgeoise de deux étages dont la construction datait probablement du début du vingtième siècle ; briques rouges, vitraux aux fenêtres, longue galerie surplombant un élégant massif de fleurs. Elle faisait face à un petit parc tout à fait charmant. Je ne pus m'empêcher de m'imaginer l'heureux propriétaire d'une maison pareille. Après tout, pourquoi pas, pensai-je, Cardinal finira bien par prendre sa retraite un jour, et ils auront alors besoin d'un nouveau chef de section. Oui, c'était envisageable. Mais j'avais du mal à croire qu'un simple percussionniste puisse se permettre tant de luxe, cela semblait trop beau pour être vrai. Combien pouvait-il gagner au juste, Cardinal? me demandai-je avant de couper court à ces réflexions: allons, ne sois donc pas si superficiel.

J'hésitai un moment avant de gravir le petit escalier menant à la porte d'entrée, de peur qu'arriver avec autant d'avance ne fasse mauvais effet. Puis je me dis que Cardinal n'avait sans doute rien d'autre à faire que de me rencontrer, que, si cela se trouvait, il m'attendait déjà, et que mon avance montrerait toute l'importance que j'accordais à ce contrat. Je montai donc et sonnai.

C'est une petite fille de sept ou huit ans qui vint m'ouvrir.

— Vous venez voir mon père? demanda-t-elle avec beaucoup de sérieux.

Je dis que oui, que nous avions rendez-vous pour le travail et que j'étais un peu en avance.

— Vous pouvez entrer, répondit-elle, toujours aussi sérieusement, mais, mon père, il pratique, il ne faut pas le déranger, il va monter tout à l'heure. Vous, vous allez attendre avec grand-papi.

— Euh… fis-je, avec grand-papi?

Elle fronça les sourcils et articula:

— Mon ar-riè-re grand-pa-pa. C'est le papi de mon papa, alors c'est mon grand-papi.

Elle me fit traverser un petit vestibule et m'indiqua une pièce, sur ma droite.

— Grand-papi, il dort. Mais si il se réveille, il faut lui faire des signes de tête parce qu'il n'entend rien.

Sur cette recommandation énigmatique, elle s'enfuit en courant jusqu'à l'autre bout de la maison, d'où j'entendis presque aussitôt surgir la musique d'un dessin animé ou d'un jeu vidéo, difficile à dire. Je remarquai également le vrombissement continu et étouffé d'une caisse claire provenant de sous mes pieds. Cardinal avait donc installé son studio au sous-sol.

J'entrai dans la pièce que la petite fille m'avait indiquée, qui s'avéra être un grand salon en deux parties, ce qu'on appelle généralement un salon double. La première moitié, où se trouvait une grande fenêtre donnant sur le devant de la maison, était meublée avec parcimonie et élégance. Mon œil fut attiré par quelques très jolis instruments à percussion exotiques accrochés aux murs. Je m'approchai pour examiner de plus près un minuscule xylophone africain dont j'aurais été assez curieux d'entendre le timbre. Cardinal est donc un esthète, pensai-je. La décoration et l'ameublement de la seconde moitié du salon étaient vraiment aux antipodes de ce qu'on retrouvait dans la première. Tout y était lourd, sombre et ancien. L'espace était tellement chargé d'objets et de meubles en tous genres que je mis plusieurs secondes à distinguer, adossé au mur du fond, un immense fauteuil dans lequel était endormi un minuscule vieillard. Je restai figé sur place, me demandant s'il ne serait pas préférable de sortir de là pour ne pas réveiller le grand-père. Mais s'il est vraiment sourd, pensai-je, je ne le réveillerai pas. J'entrepris donc d'explorer cette partie du salon qui, quoique infiniment moins élégante que la première, semblait être un territoire bien plus propice aux découvertes insolites.

Un survol rapide de ce qui se trouvait dans la pièce suffisait à deviner qu'on avait entassé là tous les objets qu'avait accumulés le vieillard et auxquels il tenait. Il y avait des dizaines de photographies, assez anciennes pour la plupart, sur lesquelles on pouvait parfois reconnaître le grand-père, à différentes époques de sa vie. Je jetai également un coup d'œil aux nombreuses bibliothèques qu'on avait placées non seulement le long des murs, mais même jusqu'au centre de la pièce.

Sans doute le vieil homme avait-il insisté pour rester près de ses livres. Ceux-ci étaient, en grande partie, anciens et joliment reliés. Je m'aventurai jusqu'à sortir un volume d'un rayon ; c'était une édition illustrée des *Grandes espérances* de Charles Dickens, dans une traduction française qui ne datait pas de la veille. J'eus à peine le temps d'en feuilleter quelques pages qu'une voix forte et à peine tremblante m'interpella :

— Ah, Antoine ! C'est gentil de me rendre visite.

Je sursautai et replaçai maladroitement le livre dans la bibliothèque. C'était, bien entendu, le grand-père qui s'était réveillé. Il n'avait pas bougé d'un centimètre, avait simplement ouvert les yeux et semblait parfaitement alerte. Je m'approchai de lui et dis, d'une voix forte :

— Bonjour, monsieur, je suis désolé de vous avoir réveillé. Je m'appelle Louis, j'étais simplement en train d'attendre votre petit-fils avec qui j'ai rendez-vous. C'est votre arrière-petite-fille qui m'a dit d'attendre ici.

Le vieillard me dévisagea d'un air inquiet.

— Mais qu'est-ce qui ne va pas, Antoine ? Tu n'as pas l'air dans ton assiette.

Visiblement, il était un peu confus et parfaitement sourd. Je me rappelai l'étrange conseil de la petite fille : lui faire des signes de tête. C'était peut-être la façon consacrée de communiquer avec lui. Je lui fis donc un vigoureux signe de tête, de haut en bas. Son visage s'illumina aussitôt d'un sourire.

— À la bonne heure, mon petit ! Ton oncle ne va pas tarder à monter, il pratique son tambour, à cette heure-ci. Il est réglé comme une horloge, mon petit-fils. Tu entends ça ? Cet instrument fait un boucan de tous les diables. Mais je me suis habitué, depuis le temps. Dis-moi, tu n'as pas emmené ta petite amie Julie ?

Je lui répondis par un nouveau signe de tête, aussi énergique que possible.

— Eh bien, tu lui diras bonjour de ma part. C'est une bonne petite fille pour toi, cette Julie. Je t'ai déjà dit ça, non? Eh bien, ne va pas penser que je radote, je te le répète parce que c'est important. Il faut bien choisir ses fréquentations, et puis le mariage, ce n'est pas n'importe quoi. D'ailleurs, c'est pour quand, ce mariage?

Je hochai la tête encore une fois en faisant une espèce de grimace que j'aurais moi-même eu bien du mal à interpréter.

— Oui, bon, eh bien n'attends pas que je meure, mon petit. Ça ne paraît peut-être pas, comme ça, mais je ne suis plus tout jeune! Quatre-vingt-seize ans! Je n'en ai plus pour très longtemps et ce n'est pas moi qui le dis, ce sont les statistiques. Je pourrais devenir sénile ou sourd d'un jour à l'autre, ne l'oublie pas, mon petit Antoine. Moi, tu sais, je me suis marié à dix-huit ans. Il y a une photo, ici, quelque part, de mon mariage, mais il faudrait que je cherche, c'est un vrai capharnaüm, je vais faire un grand ménage bientôt, très bientôt, mais avec mes vieux os, ce n'est plus si facile…

Et, à ma grande stupéfaction, le vieillard ferma un œil, puis l'autre, et se rendormit instantanément. Je reculai sur la pointe des pieds, précaution tout à fait inutile, jusque dans l'autre moitié du salon. C'est alors que Cardinal arriva. C'était un homme d'une quarantaine d'années, peut-être un peu plus. Moustachu, un peu bedonnant, l'air d'un bon bougre. Je l'avais rencontré une seule fois, lors d'un cours de maître, au conservatoire. Il m'avait fait l'impression de quelqu'un de simple et ouvert.

Il s'excusa de ne pas m'avoir entendu sonner et me demanda si son grand-père m'avait fait un brin de conversation. Je répondis que oui, que c'était un homme charmant.

— Je parie qu'il t'a appelé Antoine, non?

— Euh, oui, en effet, il m'a pris pour quelqu'un d'autre.

Cardinal leva les yeux au ciel avec un sourire attendri.

— Il prend tous les jeunes hommes pour mon neveu Antoine. C'est bien difficile de ne pas s'en amuser, non ? Cela fait presque cinq ans que ça dure. Le plus embarrassé de tous est justement mon neveu, qui s'est séparé d'avec la petite Julie depuis belle lurette mais n'arrive absolument pas à le faire comprendre au vieux. Il t'a sûrement demandé pour quand était le mariage, non ?

Je fis signe que oui.

— Eh oui, c'est toujours la même chose. J'espère que ça ne t'a pas trop gêné… mais dis-toi que ça lui fait vraiment plaisir d'avoir de la compagnie, ç'aura été ta bonne action de la journée !

Cardinal m'expliqua qu'il s'occupait de son grand-père depuis la mort de son père, quelques années plus tôt. Il vérifia ensuite que le vieillard dormait paisiblement, puis me montra le chemin jusqu'à son studio.

Ce studio était une salle immense dont tous les murs, ainsi que le plafond, étaient recouverts de panneaux isolants. Il y avait des instruments rigoureusement partout : gongs, tom-toms, caisses claires, cymbales, accessoires en tous genres, marimba, xylophone, etc. C'était le studio dont tout percussionniste rêvait.

Cardinal me montra quelques-unes des curiosités de sa collection d'instruments : un tambour militaire allemand du dix-neuvième siècle, un vieux vibraphone qu'il avait rafistolé. Il m'entraîna ensuite vers un coin de la salle où se trouvait une bibliothèque et une petite table de travail. Il me fit asseoir sur un tabouret, s'assit lui aussi.

— Alors… commença-t-il. Tu as pas mal de chance, tu sais? C'est vraiment le moment idéal pour commencer à l'OS. La liste des surnuméraires s'est vidée d'un coup au cours des deux dernières semaines. Deux de nos collègues ont remporté des auditions en Europe, à trois jours d'intervalle, et puis… il y a eu cette petite histoire avec Marc-André.

Il fit une pause, attendant probablement de voir si j'étais au courant. Je ne l'étais pas, aussi fis-je une mine interrogative.

— C'est probablement aussi bien que tu saches, reprit-il. Marc-André, comme tu le sais peut-être, était notre premier surnuméraire. Il jouait donc assez souvent avec nous, depuis presque dix ans. Il avait une bonne technique, faisait le travail sans problème et c'était un bon gars, bon vivant et tout. Mais, que veux-tu, il n'avait pas de poste en tant que tel: il n'était pas protégé. Il a eu le malheur, la semaine dernière, d'arriver en retard à deux répétitions, pour je ne sais trop quelle raison, des histoires de famille, il me semble. Quinze bonnes minutes de retard chaque fois. La première fois, quand Delambre a remarqué que la caisse claire manquait, il n'a fait que froncer les sourcils. Mais la deuxième fois, il a piqué une colère terrible. Tu sais qu'il n'est pas commode, Delambre. Un bon chef, mais vraiment pas commode. Et il a décidé, sans appel, que c'était le dernier concert que Marc-André faisait avec nous. On a fait ce qu'on a pu pour le sauver, avec les gars du syndicat, mais… rien à faire. Alors, voilà ta première leçon: n'arrive jamais en retard, jamais!

Il m'avait donné ce «conseil» presque à la blague, mais je compris bien que c'était sérieux.

— Donc, par conséquent, si tout se passe bien pour toi, tu vas pouvoir jouer avec nous souvent, il n'y aura presque plus personne sur la liste de surnuméraires devant toi. Pas mal, non?

En effet, je n'avais jamais imaginé qu'il pouvait être aussi simple d'entrer à l'OS.

— Mais ce n'est pas le pire. Attends un peu que je te montre le matériel... tu n'en croiras pas tes yeux !

Il tendit le bras pour prendre, dans la bibliothèque, une enveloppe sur laquelle je pus lire mon nom. Il posa l'enveloppe entre nous deux, sur la petite table.

— Bon. On fait une première partie tout Beethoven : l'ouverture de *Coriolan* et la *Septième,* il n'y a rien pour toi là-dedans. En deuxième partie, on fait une création d'un compositeur coréen, Park In Won, je ne sais pas si tu connais, c'est très à la mode, un ami de Delambre. C'est une pièce d'une quarantaine de minutes avec pas mal de boulot pour la section de percussions. Il y a quatre parties de percussion, plus les timbales, on sera donc cinq en tout.

Il tapota l'enveloppe du bout des doigts.

— Et là, bon, ça va peut-être te paraître invraisemblable et, il faut bien le dire, ça l'est un peu, mais c'est comme ça, n'est-ce pas, c'est comme ça... Quand on a reçu le matériel, on en a rigolé un bon coup, je te jure... Enfin, jette un coup d'œil là-dessus, c'est ta partition.

Et il me passa l'enveloppe. J'en sortis une partition brochée :

PHI
for orchestra
Park In Won (2008)
Percussion IV : Triangle

Sur la première page, à ma grande surprise, il n'y avait que des mesures de silence, pas une seule note à jouer. Je tournai la page, encore rien, seulement un nombre incroyable de mesures de silence. Je tournai, tournai encore, et ce n'est qu'à la douzième et dernière page, donc presque à la toute fin de l'œuvre, que je trouvai enfin une note, une seule note, *mezzo forte*, au triangle, précédée de l'indication : *solo*. J'étais stupéfait. Je n'avais jamais vu une chose pareille.

— Incroyable, non? dit Cardinal en voyant mon air médusé. On a tout essayé, mais aucun d'entre nous ne peut se libérer une main pour donner ce coup de triangle, on a tous les deux mains prises dans la mesure qui précède. C'est complètement fou, mais on n'a pas eu le choix : il fallait engager quelqu'un pour donner un seul et unique coup de triangle. Mais, bon, pour toi, c'est tant mieux, ça te fera des débuts pas trop énervants avec l'orchestre, comme une sorte d'avant-goût.

Je n'en revenais toujours pas.

— Ben… oui, répondis-je. Enfin, on ne peut pas dire que ça me mette vraiment en valeur, un coup de triangle… mais je ferai de mon mieux.

— Ah oui, dit-il en rigolant, il va falloir que tu nous sortes ton son de triangle du dimanche !

Nous regardâmes ensemble l'horaire des répétitions. On passerait trois heures sur le Park In Won le lendemain matin, dimanche, de neuf heures à midi. Ensuite, il y aurait la générale et le concert, mardi.

— On ne répète pas beaucoup, à l'OS, commenta Cardinal. Les répétitions coûtent cher et l'orchestre manque d'argent. On se retrouve au bord de la faillite pratiquement tous les cinq ans. C'est vrai que les choses vont quand même mieux depuis que Delambre est arrivé, il y a deux ans. Tout le battage médiatique qu'ils ont fait autour de lui a fait sortir quelques mécènes de leur trou, mais je pense qu'on est encore loin du compte. Quoi qu'il en soit, en arrivant bien préparés aux répétitions, on finit toujours par s'en sortir.

Cardinal m'apprit ensuite que je serais payé le soir du concert, qu'il ne fallait pas quitter la salle avant d'avoir reçu mon enveloppe. Je n'eus pas la présence d'esprit de demander le montant de cette paie, ce que je regretterais par la suite.

Puis, il me reconduisit à la porte, où nous nous dîmes au revoir en nous serrant la main.

— Et dors bien, cette nuit, ajouta-t-il en refermant la porte derrière moi. Le triangle, ça demande un certain calme, une certaine détente. Il ne faut quand même pas sous-estimer cet instrument!

En un sens, je n'aurais pu demander mieux: on m'offrait, sur un plateau d'argent, une place parmi les premiers surnuméraires de l'Orchestre Symphonique. Mon chef de section était tout à fait sympathique, pas le type à faire des problèmes, je m'entendrais à merveille avec lui. Mais... un coup de triangle, c'était presque trop facile. Était-ce vraiment là l'aboutissement de toutes mes années d'études? C'en était presque caricatural, assez pour donner raison à tous ceux qui se moquent des percussionnistes. «Combien ça prend de percussionnistes pour changer une ampoule?... Quelle est la différence entre un percussionniste et un raton laveur?... C'est une fois un Italien, un Français et un percussionniste sur un bateau...» Oui, j'étais presque insulté.

Mais, tandis que je traversais Outremont en direction de la station de métro, ma grande enveloppe sous le bras, une autre partie de moi commençait déjà à sentir les choses complètement différemment. N'y avait-il pas quelque chose d'inquiétant à ce seul et unique coup de triangle? N'y avait-il pas quelque chose de terrible à cette indication qui précédait la seule et unique note de la partition, en caractères gras: *solo*? J'allais donc jouer seul, complètement seul, et ce qui était en jeu, n'était-ce pas justement mon destin? N'allais-je pas, d'un geste infime de trois doigts de la main droite, décider de mon avenir ? Et si je le manquais ? Et si je jouais un peu avant, un peu après, ou pas du tout ?

*

Heureusement, lorsque j'arrivai chez moi, j'avais retrouvé ma confiance, les mauvaises pensées s'étaient tues. Il n'était question que d'un petit coup de triangle, après tout, cela n'avait rien de bien terrible. Je me mis donc en quête de mon instrument. Après quelques minutes de recherche, je le dénichai dans une boîte remplie de baguettes et d'accessoires de percussion que j'avais rangée sous mon lit. C'était un triangle que j'aimais beaucoup, à la sonorité particulièrement riche et complexe. Je l'avais fait venir de Chicago, où se fabriquent les meilleurs triangles au monde. De la boîte, je sortis également une petite pince servant à le suspendre à un lutrin ainsi qu'un assortiment de baguettes de métal de différents diamètres et de différentes longueurs. Je suspendis le triangle à mon lutrin et ouvris la partition à la dernière page. J'examinai les baguettes qui étaient à ma disposition et en choisis une qui me semblait convenir à un *mezzo forte*, ni trop lourde ni trop légère. La situation avait tout de même quelque chose d'absurde : je m'apprêtais à « répéter » un misérable coup de triangle ! Cela me fit sourire. Mais, bon, pensai-je, puisque j'y suis... Je trouvai le tempo et comptai quatre mesures de silence, question de faire plus « vrai ». Puis, j'approchai la baguette du triangle. C'est alors que je réalisai que ma main droite tremblait légèrement. C'était un tremblement infime, presque impossible à déceler, mais il était amplifié par la baguette qui agissait comme un levier. L'extrémité de celle-ci dessinait de petits cercles dans l'air, m'en servir avec précision était pratiquement impossible.

Je déposai la baguette, secouai la main. J'observai attentivement ma main droite pendant quelques secondes : elle ne tremblait pourtant pas. Je repris la baguette de métal mais constatai le même phénomène, elle était comme secouée par une vibration minime qui semblait bien provenir de ma main, de mes doigts. La nervosité commença à me gagner, mon rythme cardiaque s'accéléra, le tremblement de la baguette s'accentua. Calme-toi, prends une petite pause, me dis-je à voix haute.

Je m'installai à mon bureau, démarrai l'ordinateur. Pas de courrier, évidemment. J'ouvris le site de Radio-Canada. *Hôpital universitaire de Montréal : nouvelles hésitations sur l'emplacement du HUM. International : Silvio Berlusconi réélu à la présidence italienne.* Au bas de la page, les nouvelles culturelles : *Le Musée d'art de Montréal (MAM) lance un nouveau catalogue Biron. Delambre éblouit Moscou...* Bon, Delambre, pensai-je, ce n'est pas ce qu'il me faut pour me changer les idées. J'éteignis l'ordinateur. Mieux valait écouter un peu de musique, quelque chose de tranquillisant. Je mis l'un de mes disques fétiches : un album de standards de jazz par Thelonious Monk. Je m'étendis sur mon lit, fermai les yeux et me laissai prendre par la musique.

Vingt minutes plus tard, je me relevai parfaitement détendu, presque béat. Cette musique était un remède miracle. Je fis un bond jusqu'à mon lutrin, saisit la baguette, trouvai le tempo, comptai quatre mesures de silence. Mais dès que j'eus approché la baguette du triangle, le tremblement me reprit, plus fort qu'auparavant. J'essayai de frapper le triangle, mais l'oscillation de la baguette m'enlevait le contrôle du moment précis de l'impact. Pis encore, le mouvement de ma main était si raide, si crispé, que le triangle perdait sa résonance : le son était sec, fêlé, horrible. Merde, dis-je entre mes dents.

Je passai tout le reste de l'après-midi, ainsi que toute la soirée, à tenter de me débarrasser de ce tremblement. J'essayai toutes les techniques : promenade dans le parc, lecture, conversation téléphonique avec un ami, bain chaud, dessins animés, bière, deuxième bière, mais ce fut peine perdue. Chaque nouvelle tentative ne faisait qu'amplifier ma nervosité. Tandis que je sombrais graduellement dans le désespoir, j'en vins à regretter d'avoir été appelé pour ce contrat que je me mis à considérer non plus comme le début de quelque chose, mais comme la fin de tout. Je ne voyais pas d'autre issue que le désastre : si je tremblais maintenant, seul chez moi, ce ne pourrait être que pire le lendemain, à la répétition. Et c'était sans appel : on ne pouvait vraiment jouer le triangle que parfaitement calme, le moindre tremblement rendant l'instrument hors de contrôle et le son disgracieux. C'était un instrument qui ne permettait pas d'à-peu-près et, en ce sens, c'était peut-être l'instrument le plus capricieux de l'orchestre.

Lorsque je décidai finalement d'aller dormir, j'avais les nerfs tout à fait rompus. Mais que faire d'autre qu'essayer de dormir ? Je m'enfonçai donc dans mon lit, me fis aussi petit que possible et me mis à répéter doucement, comme un mantra : demain, tout ira bien, demain, tout ira bien, demain, tout ira bien…

DIMANCHE

PIERRE DELAMBRE

Lorsque le réveil sonna, très tôt dimanche matin, Anne-Marie avait déjà quitté le lit. Sa place, à ma gauche, était encore chaude, elle venait probablement à peine de se lever. Je tendis l'oreille et entendis l'eau qui coulait dans la salle de bain. J'aurais voulu rester sous les draps, mais je savais que si je le faisais, Anne-Marie viendrait m'y chercher et me faire ces petites cajoleries dont j'étais d'ordinaire si friand mais auxquelles je voulais, aujourd'hui, échapper à tout prix. Depuis mon retour de Moscou, la veille, je n'avais pu faire autrement que d'éviter ma femme autant que possible. J'étais encore complètement remué par ce qui s'était passé avec Svetlana. Anne-Marie était si franche et si directe, comme toujours, que je me sentais menteur et lâche. Mes paroles sonnaient faux, les baisers et les caresses, par lesquels je devais bien répondre à ses baisers et à ses caresses, me paraissaient vides de toute substance. Depuis la veille, en l'embrassant, j'avais l'impression de n'être qu'un simple témoin, comme si j'avais été à côté de mon corps, à l'extérieur de moi-même. Je me sentais être un autre. J'étais terrorisé à l'idée qu'Anne-Marie puisse se rendre compte de quelque chose, aussi essayais-je de limiter les contacts trop directs qui auraient pu révéler mon malaise. Je devais malgré tout tâcher de n'être pas trop distant, et même de ne pas l'être du tout, car, depuis bien des années, il n'y avait plus la moindre distance entre nous. Ce jeu funambulesque était angoissant et exténuant, mais je me disais que tout rentrerait bientôt dans l'ordre, que je retrouverais mon naturel, qu'avec le souvenir de Svetlana se dissiperaient le souvenir du désir que j'avais eu pour elle et la culpabilité qu'avait engendrée ce désir. Car le désir lui-même s'était évaporé rapidement, tout ce qu'il en restait, c'était du dépit, un peu de frustration et, surtout, le sentiment suffoquant d'avoir vieilli de vingt ans en quelques jours, d'avoir franchi le cap au-delà duquel nos plus beaux jours sont derrière nous.

Je me levai précipitamment en entendant Anne-Marie fermer les robinets. Quelques secondes plus tard, elle entra dans la chambre.

— Tiens tiens, tu es debout, dit-elle. Je croyais qu'il faudrait t'administrer un traitement de choc pour te sortir du lit.

Je me demandai ce que je répondrais normalement dans ce genre de situation. La réaction ne me venait pas spontanément.

— Oui... je suis debout... réveillé... et parfaitement alerte! répondis-je en tâchant d'avoir l'air aussi endormi que possible.

Je lui fis un baiser ensommeillé et mou, puis passai à mon tour à la salle de bain. En refermant la porte derrière moi, un soupir de soulagement m'échappa. Je croyais avoir été assez naturel, elle n'avait sans doute rien remarqué d'anormal, hormis le fait que je me sois levé sans l'attendre, et encore... J'étais maintenant parfaitement réveillé. En fait, je l'avais eu, mon « traitement de choc », sous la forme de cette rencontre d'à peine dix secondes avec ma femme. De jouer ce rôle, mon propre rôle, me demandait une énergie folle et une attention constante.

Je fis mes ablutions, un peu plus lentement qu'à mon habitude. J'aurais ensuite dû descendre prendre le petit-déjeuner avec Anne-Marie, mais cela me semblait au-dessus de mes forces. Il m'arrivait, quoique très exceptionnellement, de déjeuner au bureau lorsque j'étais débordé de travail. Je décidai que c'était la seule chose à faire, et tant pis si cela devait éveiller les soupçons d'Anne-Marie. J'avais été assez évasif, la veille, concernant le concert à Moscou et je savais qu'elle s'attendait à ce que je lui raconte tout au petit-déjeuner. Les questions concernant ce voyage étaient ce que je voulais éviter par-dessus tout.

Je m'habillai et passai dans le bureau prendre les partitions et documents dont j'aurais besoin pendant la journée. Je descendis dans la cuisine, où je trouvai Anne-Marie en train de boire une tasse de café. Elle fut surprise de me voir habillé et prêt à sortir.

— Tu t'en vas maintenant? Tu ne déjeunes pas?

— Eh non, dis-je en faisant une grimace de déception. Je vais aller au bureau tout de suite, j'attraperai quelque chose à manger là-bas. Il faut que je regarde un peu la pièce d'In Won avant la répétition et il y a la réunion de ce midi à préparer… c'est un peu la panique, soudainement.

Elle fit une moue.

— Mais c'est terrible! On ne se voit plus! Et tu ne m'as presque rien dit sur le concert à Moscou.

Elle se leva pour venir m'embrasser.

— Bon, reprit-elle, je vais t'attendre ici de pied ferme. Tu ne m'échapperas pas!

Je l'embrassai en faisant de mon mieux pour être naturel et chaleureux. Elle prenait le ton du jeu, mais il y avait dans son regard une inquiétude non équivoque. Si je n'étais pas extrêmement prudent, cette inquiétude se transformerait en mécontentement, voilà ce que je craignais le plus. Je lui souhaitai une bonne journée et la quittai aussi vite que possible. Ses câlineries me faisaient terriblement mal, exacerbaient mon sentiment de culpabilité. Une minute de plus et je me serais mis à pleurer comme un gamin, pensai-je.

Ce dimanche-là, nous répétions, de neuf heures à midi, la dernière pièce de Park In Won, un compositeur coréen dont je connaissais bien la musique, ayant moi-même dirigé la création de plusieurs de ses œuvres. L'OS lui avait d'ailleurs commandé cette œuvre-ci à mon initiative. In Won était un homme assez énigmatique, un peu lunatique, solitaire, qui versait de plus en plus dans l'ésotérisme, ce qui ne manquait pas d'inquiéter beaucoup de gens dans le milieu musical. Il nous avait livré la partition très en retard, à peine trois semaines avant la date de la création, ce qui avait engendré un concert de lamentations de la part des musiciens. Je m'attendais donc à trouver un orchestre un peu rétif qu'il me faudrait amadouer, soit par la douceur, soit par la force.

En arrivant à la Place des Arts, je montai directement à mon bureau. Là, je demandai à la réceptionniste d'envoyer quelqu'un me chercher un café et deux croissants. Je pus ensuite m'enfermer avec la partition. L'œuvre était assez complexe, surtout au niveau du rythme. L'orchestration était extrêmement inventive et colorée, ce qui était en quelque sorte la signature de Park, et l'écriture toujours virtuose. L'ennui, avec cette partition, était qu'elle avait visiblement été bâclée. Il y avait, un peu partout, des invraisemblances, des indications manquantes et des coquilles. J'avais réglé plusieurs problèmes avec le compositeur au téléphone, au moment où j'avais reçu la partition, mais chaque fois que je m'y plongeais, j'en découvrais de nouveaux. Au point où j'en étais, j'avais décidé de faire les corrections comme bon me semblerait, afin de ne pas perdre tout mon temps au téléphone avec Park ou son éditeur. D'autant plus que Park ne viendrait à Montréal que pour la générale et le concert : il allait donc devoir me faire confiance.

La réceptionniste m'apporta mes croissants et mon café. Les croissants étaient secs et le café parfaitement insipide. J'étais pourtant habitué à ces croissants, à ce café, mais ce jour-là, je les trouvai particulièrement désagréables et en ressentis un dépit très vif. Comme je reprenais mon étude de la partition de Park, ce dépit commença à se muer lentement en une colère sourde. Les traits de crayon que je faisais dans la partition se firent graduellement plus longs, plus épais et plus cinglants. L'envie montait en moi d'en découdre avec quelqu'un ou quelque chose. C'était mon impuissance à renouer avec Anne-Marie qui se transformait en fureur, une fureur sans objet précis, tous azimuts. Les erreurs dans la partition étaient de plus en plus nombreuses. Difficile d'y voir autre chose que de la paresse et, même, de la bêtise, de la part du compositeur. M'étais-je à ce point trompé sur son compte ?

Il fut bientôt presque neuf heures. Je descendis à la salle de répétition.

La répétition se passa on ne peut plus mal. Je n'avais pas le calme nécessaire pour aborder une œuvre que je ne connaissais pas. Je faisais des erreurs et j'en laissais passer chez les musiciens. J'avais l'impression d'avoir devant moi un orchestre d'étudiants, ce qui ne calmait en rien ma mauvaise humeur. Les musiciens étaient inattentifs et turbulents comme des enfants. J'entendis même des blagues et des éclats de rire étouffés au fond des sections, c'était insoutenable. Il avait toujours été difficile d'obtenir un véritable engagement de la part de l'orchestre lorsque nous faisions du répertoire contemporain, mais cette fois-ci, c'était pire que jamais. Je dus faire plusieurs rappels à l'ordre. J'interpellai même personnellement un altiste qui ratait systématiquement toutes ses entrées, étant toujours en train de parler à son voisin ou de se gratter quelque part. J'en serais sans aucun doute venu aux insinuations et aux menaces si je n'avais eu conscience que je n'étais moi-même pas à mon meilleur.

Mais le clou de la répétition, ce qui acheva de me mettre en colère, fut un percussionniste qui rata une entrée solo, vers la fin de la pièce. J'éclatai aussitôt :

— Eh, en arrière, vous dormez ! ? Il faut apprendre à compter ! Ce n'est pas sérieux ! Pas sérieux du tout !

Je mis fin à la répétition quelques minutes plus tard en faisant comprendre à certains musiciens qu'ils avaient du rattrapage à faire avant le concert de mardi. Devant la porte de la salle de répétition, tandis que je sortais, je croisai Simard, le gérant des musiciens.

— Dites-moi, monsieur Simard, fis-je assez durement, comment se fait-il que ce percussionniste surnuméraire soit encore là ? Nous avions pourtant bien décidé de ne pas le rappeler. Cela dépasse vraiment les bornes : lorsqu'il n'est pas en retard, il dort en arrière de l'orchestre !

Simard eut l'air embarrassé. Il regarda en direction de la section de percussions.

— Mais... je ne comprends pas... de quel percussionniste parlez-vous ? me demanda-t-il doucement.

— Du surnuméraire, celui qui joue la quatrième partie de percussion, de qui voulez-vous que je parle ?

— Mais... c'est un nouveau... nous n'avons pas réengagé Marc-André Messier. Regardez, le petit là-bas, c'est le nouveau.

Et il me montra du regard le percussionniste qui avait manqué son entrée. Effectivement, ce n'était pas celui que je croyais, je l'avais regardé trop vite. Celui-ci était beaucoup plus jeune. Je vis qu'il avait l'air complètement bouleversé, j'avais peut-être été un peu dur.

— Ah, oui, c'est un autre, admis-je. Vous me débarrassez d'un incompétent pour le remplacer par un autre, c'est fameux ! Il n'y a donc pas de percussionnistes sérieux, dans cette ville ?

Je soupirai.

— Enfin, je suppose qu'il faut lui donner sa chance. À plus tard, monsieur Simard.

— À tout de suite, maestro, parce que je serai aussi à la réunion, dit-il alors que je m'éloignais déjà dans le corridor.

Ah oui, la réunion. Je l'avais presque oubliée. J'avais tout juste le temps de remonter au bureau.

Nous avions des problèmes avec le syndicat... encore. Pour dire vrai, c'était le premier pépin sérieux depuis que j'étais à l'orchestre, c'est-à-dire depuis un peu plus de deux ans, mais mon arrivée avait été précédée d'un conflit de travail majeur, le pire de l'histoire de l'orchestre. L'OS était alors à peu près complètement ruiné, il ne se faisait pratiquement plus de tournées ni d'enregistrements et les musiciens n'avaient pas reçu d'augmentation de salaire depuis plusieurs années. Les musiciens avaient décidé qu'ils en avaient assez d'être à la fois l'un des meilleurs orchestres au monde et l'un des moins bien payés. Il y avait donc eu une grève, une saison entière avait été annulée. C'était plus ou moins dans ce désordre que mon prédécesseur avait quitté l'orchestre, les administrateurs se retrouvant face à la double tâche de régler le conflit et de recruter un nouveau chef.

Lorsque j'avais été contacté pour le poste, j'avais clairement fait comprendre que le conflit devrait être résolu avant mon entrée en fonction, qu'on devrait remettre sur pied le programme de tournées et que les enregistrements devraient reprendre. Mes exigences avaient constitué la base de travail pour la fin des négociations avec le syndicat. Et lorsqu'une entente fut finalement trouvée, il faut bien le dire, les musiciens avaient perdu sur à peu près toute la ligne. Les salaires n'avaient été que légèrement augmentés, bien en deçà des demandes syndicales, et les normes de travail avaient été considérablement assouplies pour permettre la reprise des tournées et des enregistrements, comme je le souhaitais. Plusieurs musiciens avaient donc gardé une épine au cœur, et c'était probablement la cause profonde de notre nouveau problème.

Ce nouveau problème avait justement à voir avec le programme d'enregistrements que j'avais commencé à mettre en place. Je souhaitais pouvoir rendre les enregistrements de certains de nos concerts disponibles sur le site Internet de l'orchestre. L'idée était de se doter d'une « webradio », comme en avaient déjà plusieurs orchestres américains, qui aurait été un outil pour la promotion de nos disques, mais aussi, tout simplement, une façon de diffuser le travail de l'orchestre. Or, la convention collective négociée avant mon entrée en fonction était très vague sur tout ce qui touchait l'Internet et on avait du mal à s'entendre sur le montant de la prime que devaient toucher les musiciens pour un concert enregistré en vue d'une diffusion de ce type.

Lorsque j'arrivai dans la salle de réunion, presque tout le monde était déjà en place. Il régnait un silence de mort et une atmosphère assez lourde que mon arrivée ne suffit pas à dissiper. On se leva malgré tout pour me serrer la main, me demander des nouvelles de la répétition et de la nouvelle œuvre de Park In Won. La directrice générale demanda bientôt aux derniers arrivants de prendre place et ouvrit la réunion :

— Nous nous sommes laissés, la semaine dernière, sur une nouvelle proposition concernant les quelques points… disons… ambigus de notre politique de rémunération. J'aimerais que nous reprenions la discussion sur le document que vous avez entre les mains. Il y a des copies pour tout le monde? Oui, bon. Faisons donc, si vous le voulez bien, un rapide tour de table.

Chacun put donc, à tour de rôle, exprimer son point de vue sur la question, parfois de façon assez véhémente. Les représentants de la partie patronale énuméraient les avantages innombrables d'un accroissement de la flexibilité du côté des musiciens, tandis que ces derniers dénonçaient l'attitude de la direction, qui ne prenait pas véritablement en compte la valeur de leur travail. Tous recherchaient mon approbation du regard, comme si j'avais été une sorte d'arbitre, alors que j'étais partie prenante dans cette affaire, au même titre qu'eux tous. Je ne pris pas la parole durant ce « tour de table », mon opinion était connue, je souhaitais que nous trouvions une entente, peu m'importait quelles en seraient les modalités, et je ne voulais pas m'occuper d'argent.

Tandis que les échanges se faisaient de plus en plus animés et que nous nous dirigions à nouveau vers une impasse, mon sang se remit graduellement à bouillir. Que faisais-je donc là? Pourquoi n'avais-je donc pas trouvé une excuse quelconque pour me soustraire à cette réunion?

Un représentant de l'association des musiciens, un tromboniste, grand, maigre et nerveux, qui n'était, à mon avis, pas le meilleur élément de sa section, se recula brusquement sur sa chaise, ce qui fit sursauter tout le monde.

— Écoutez, dit-il d'une voix précipitée, on fait notre possible, il faut que vous compreniez au moins ça. On s'est fait avoir la dernière fois, on ne se fera pas avoir encore cette fois-ci. On vient répéter et s'engueuler en réunion le dimanche, on passe carrément à côté de notre vie de famille, il faut pas nous demander d'enregistrer pour gratis en plus. Il y a de l'argent partout, ici-dedans. C'est pas normal que tout le monde en profite sauf nous autres.

Et là-dessus, il me lança un regard furtif, que tout le monde remarqua et comprit. Il aurait sans doute voulu qu'on coupe mon salaire pour augmenter celui des musiciens. C'en était trop pour moi. Je me levai. Personne n'osa dire un mot. Je fixai pendant plusieurs secondes l'individu qui venait de parler.

— Écoutez, maestro, ajouta-t-il, ne le prenez pas mal… mais il n'y a pas d'orchestre sans musiciens… il faut comprendre ça…

Je me tournai vers la directrice générale.

— S'il vous plaît, Lucille, dis-je en contenant ma colère, il faut trouver une solution. Cette histoire commence à m'emmerder un peu, et puis j'ai du travail.

Et je quittai la réunion sans me retourner.

Je restai quelques secondes à réfléchir avant de démarrer la voiture. Que faire, maintenant? En temps normal, je serais rentré chez moi pour raconter à Anne-Marie cette pénible répétition et cette réunion pire encore. Mais je savais que je ne pourrais rien lui raconter, que je n'en serais pas capable. La rage qui avait pris toute la place en moi au cours des quatre dernières heures se dissipa tout à coup. Elle fit place à la peur, à la culpabilité et à cette sorte de paralysie qui en découlait. Je me retrouvai donc au même point qu'en quittant la maison le matin. Plus que jamais, je me sentais vieux, à court d'énergie, profondément fatigué.

J'enfonçai la clef dans le contact, tournai, le moteur se mit en marche. En sortant du garage de la

Place des Arts, je pris à gauche, comme d'habitude, et montai jusqu'à la rue Sherbrooke. Je m'engageai sur Sherbrooke, vers l'ouest, en direction de chez moi, lentement.

Je ne savais pas ce qu'Anne-Marie serait en train de faire à cette heure. Je ne le lui avais pas demandé. Peut-être serait-elle en train de mettre la touche finale à son article sur les rites funéraires étrusques, mais peut-être l'avait-elle déjà terminé l'article pendant que j'étais à Moscou. J'aurais dû lui poser la question. Normalement, je la lui aurais posée. Quoi qu'il en soit, si elle était à la maison, j'aurais droit à un interrogatoire en règle. Et je n'étais pas prêt, non, tout sonnerait encore faux. J'avais besoin d'un peu de temps.

Mais, tandis que j'attendais à un feu rouge, à quelques pâtés de maisons de chez moi, je sentis que je me trompais. Ce n'était pas de temps que j'avais besoin. Ou, plutôt... rien ne me garantissait que de laisser passer le temps, d'attendre, règlerait le problème. Peut-être n'arriverais-je ainsi qu'à détruire notre couple pour de bon. Je devais trouver une façon d'oublier toute cette histoire, de remettre le compteur à zéro. Cela paraissait simple, et pourtant, je ne savais pas comment m'en sortir.

Lorsque j'arrivai devant notre maison, j'accélérai et continuai mon chemin. Je n'étais pas prêt à revoir Anne-Marie, c'était trop risqué. J'avais besoin de réfléchir encore, pour peu que j'en fusse capable.

LOUIS

Lorsque je me décidai à sortir du lit, dimanche matin, j'avais l'impression de ne pas avoir fermé l'œil de la nuit. J'avais des douleurs dans le dos, un mal de tête lancinant, l'estomac tout renversé. La lumière matinale qui filtrait à travers le store faisait scintiller mon triangle, toujours suspendu au lutrin : étoile de malheur.

Je fis griller une tranche de pain que j'avalai avec un peu de beurre, de confiture et en grimaçant ; je n'avais pas d'appétit. Le triangle continuait à me narguer, se balançant imperceptiblement au bout de sa ficelle. J'eus l'idée de tenter à nouveau ma chance mais me ravisai aussitôt : je n'avais pas la force d'affronter un nouvel échec, probable. Advienne que pourra, je ne m'attaquerais à l'instrument qu'au moment fatidique, en répétition, à la mesure six cent soixante et onze. J'enveloppai le triangle dans une grande feuille de feutre, rangeai la baguette dans son petit étui et mis le tout dans mon sac, avec la partition. La répétition était à neuf heures et, comme Cardinal me l'avait bien fait comprendre, il n'était pas question d'être en retard.

J'arrivai avec plus d'une demi-heure d'avance à la salle de répétition, qui se trouvait au sous-sol de la Place des Arts, juste au-dessous de la salle de concert. Je m'attendais à trouver un lieu rempli d'une activité fébrile, à pouvoir déjà plonger dans l'ambiance de la répétition, à peut-être reconnaître quelques visages amis dans les rangs de l'orchestre, aussi fus-je assez surpris de voir la salle presque vide. Ne s'y trouvaient que quelques techniciens déplaçant tranquillement des chaises et une harpiste qui accordait son instrument dans un coin. En passant près de la harpiste, je tentai d'attirer son regard, lui fis un sourire : si je voulais m'intégrer, aussi bien commencer maintenant. Pour toute réponse, elle leva les yeux et fit un très vague signe de tête, sans sourire. Pas très sympathique, pensai-je. Je me rendis jusqu'à la section des percussions, tout au fond de la salle. La mise en place des instruments n'avait pas été faite, je ne savais donc pas où m'installer. Je regrettai d'être arrivé si tôt, je n'avais, au fond, vraiment rien à préparer, aucun instrument à accorder, pas d'échauffements à faire. Je ne pouvais que m'asseoir et attendre, ce qui aurait l'air ridicule et ne manquerait pas d'attirer l'attention sur moi. Je décidai de sortir et d'aller chercher un café. Oui, d'arriver avec un café ferait beaucoup plus « professionnel ». D'un geste désinvolte dont je surveillai l'effet sur la harpiste et les techniciens, je laissai tomber mon sac sur une chaise et repartis vers la sortie, prenant l'air de quelqu'un qui avait brusquement changé d'avis. Mais, tandis que je me dirigeais vers la porte, Cardinal entra.

— Ah, tu es déjà là, dit-il en me tendant la main. C'est parfait. Tu t'es installé ?

— Euh, pas vraiment, non, je ne savais pas trop où me mettre.

Je le suivis jusqu'au fond de la salle où il m'indiqua un tabouret et deux lutrins.

— Tiens, mets-toi là. Tremblay va être à ta droite, il ne devrait pas tarder.

Je renonçai donc au café, que je n'avais de toute façon aucune envie de boire. Je plaçai l'un des deux lutrins en position horizontale et y étendis la feuille de feutre en déballant le triangle. J'accrochai ce dernier au deuxième lutrin, installai la partition et sortis la baguette de son étui pour la déposer sur la feuille de feutre. Je vérifiai que mon lutrin était bien enligné avec le podium du chef, approchai mon tabouret, j'étais prêt. Je me dis qu'il était inutile de faire semblant d'avoir quelque chose à faire et allai demander à Cardinal si je pouvais lui donner un coup de main pour installer les autres instruments. Je l'aidai donc à placer la grosse caisse, le xylophone, quelques gongs et tam-tams. Ce fut fait assez rapidement, je dus donc retourner à ma place et grimper sur mon tabouret qui, je m'en rendis compte aussitôt, constituait un excellent poste d'observation de l'orchestre.

Il restait une vingtaine de minutes avant le début de la répétition, les musiciens commençaient à arriver. Je constatai que mon idée du café n'était malgré tout pas dépourvue de bon sens: l'immense majorité des musiciens faisaient leur entrée dans la salle de répétition un thermos de café à la main. Les premiers arrivés étaient des instrumentistes à vent, surtout des cuivres. Un tromboniste vint s'installer juste devant moi. Il me dit bonjour en sortant son instrument de l'étui.

— Moi, c'est Jean-Marc, commença-t-il. C'est ton premier concert avec nous autres?

Je lui répondis que oui, que je m'appelais Louis.

— Ben bienvenue! C'est de bonne heure en Petit-Jésus, non, pour un dimanche matin? T'inquiète pas, c'est pas tout le temps comme ça. Là... essaye de pas me casser les oreilles, hein? J'ai les tympans fragiles.

— Rien à craindre, je joue seulement du triangle, fis-je en lui montrant mon instrument.

Il éclata de rire.

— Juste du triangle! Ben coudonc, t'es tranquille! Est-ce qu'on échange de *job*?

Il se retourna, s'assit et se mit à faire quelques échauffements. Après une ou deux minutes de sons filés et d'arpèges, il déposa son trombone et sortit de son étui un journal dont il entreprit la lecture en sirotant son café. Ça, c'est la vie de musicien d'orchestre, pensai-je.

La salle se remplissait de plus en plus rapidement et je commençais à me sentir mieux. La tension diminuait, mes déboires de la veille avec le triangle me semblaient tout à coup lointains et abstraits. Accroché au lutrin, à quelques centimètres devant moi, ce triangle paraissait maintenant bien inoffensif. De voir certains des musiciens répéter pour eux-mêmes les passages difficiles de leur partie contribuait également à me calmer : eux avaient de quoi s'inquiéter, il y avait là de véritables défis techniques, tandis que moi, avec mon coup de triangle… Au fond, ce Jean-Marc avait raison, bien des musiciens auraient sans doute volontiers « échangé de *job* » avec moi. La confiance me revenait.

Je reconnus Hugo Tremblay qui venait d'entrer et se dirigeait vers moi, petite valise dans une main, bouteille thermos dans l'autre. Je connaissais Tremblay pour l'avoir croisé à quelques reprises au Conservatoire. Il avait terminé ses études un an avant mon admission, mais avait continué à aller faire un tour à l'école de temps en temps. Il avait une dizaine d'années de plus que moi et jouait à l'OS, à ma connaissance, depuis au moins cinq ans.

— Salut, dit-il en arrivant à côté de moi. Louis, c'est ça ?

Je lui serrai la main. Il ouvrit sa valise, en sortit sa partition qu'il plaça sur le lutrin, ainsi qu'une bonne dizaine de paires de baguettes en tous genres qu'il disposa sur une petite table recouverte de feutre, à sa droite. Il tira vers lui le xylophone, deux cymbales suspendues de tailles différentes, cinq blocs chinois et plaça sur la table, à côté des baguettes, une panoplie de plus petits instruments. Il prit une paire de baguettes et fit quelques mouvements pour vérifier que tous les instruments étaient à sa portée et bien disposés, puis il parcourut rapidement la partition, sans doute pour s'assurer que rien ne manquait. Toutes ces opérations ne lui avaient pris que deux minutes à peine. Ses gestes étaient précis, assurés et rapides, les accessoires étaient disposés sur le feutre dans un ordre parfait, rien ne semblait avoir été laissé au hasard. On voyait au premier coup d'œil que Tremblay était un percussionniste chevronné.

Il recula de deux pas et s'assit sur un tabouret identique au mien, après avoir ramassé dans sa valise un cahier du journal de la veille, plié en quatre. Il déplia le cahier et se mit à en lire la première page. Je remarquai qu'il avait soudainement l'air sombre et renfrogné. Il se tourna vers moi.

— T'arrives à y croire, dit-il, mécontent, qu'ils vont échanger Kovalev?

N'ayant jamais suivi le hockey, cette question me prit de court.

— Ah? répondis-je, ils vont l'échanger?

C'est Jean-Marc, le tromboniste, qui répondit en se retournant:

— Ben voyons, ils vont pas échanger Kovalev, c'est juste une rumeur. Si vous voulez mon avis, c'est Smolinski qui va partir avant longtemps.

— Ouais, dit Tremblay, eh ben, je ne sais pas ce qui serait pire entre perdre Kovalev et perdre Smolinski, mais dans les deux cas, on est foutus.

Jean-Marc haussa les épaules:

— Ah, ça, ça dépend de qui on a en retour, il faut pas être trop pessimiste. Et on est capable de jouer du maudit bon hockey, ça, c'est clair.

— On aura beau jouer du bon hockey, s'il n'y a personne pour *scorer*, on n'ira pas loin.

Entre-temps, les deux autres percussionnistes étaient arrivés : Jeff, un Américain de deux mètres, qui me souhaita la bienvenue à l'OS en anglais, et Thibaudeau, le vétéran timbalier, qui n'eut pas l'air de remarquer que j'étais nouveau. L'orchestre semblait maintenant être au complet, la répétition allait bientôt commencer. Il y avait, dans la salle, un joyeux tintamarre mêlant des conversations enjouées au son des instruments. Je ne me sentais plus du tout nerveux, la conversation avec les collègues m'avait complètement détendu. Et, vraiment, je commençais à me sentir à ma place.

Le chef ne tarda pas à arriver. À son entrée dans la salle, le silence se fit presque instantanément et tous ceux qui étaient debout regagnèrent leur place. Les journaux furent pliés et rangés, les thermos mis de côté en un clin d'œil. C'était la première fois que je voyais Delambre en personne. Bien entendu, comme tous les Montréalais, je croisais presque quotidiennement son visage sur les publicités du métro et des abribus, dans les journaux et à la télévision, mais en personne, l'effet était tout différent. En le voyant discuter avec le premier violoniste, l'avertissement de Cardinal, selon lequel Delambre n'était pas un homme « commode », me revint à l'esprit. Oui, c'était visible, ce devait être un personnage sacrément caractériel et, en ce dimanche matin, son visage n'était pas exactement empreint de joie de vivre. À vrai dire, il avait plutôt l'air de mauvaise humeur, à en juger par le froncement constant de ses sourcils et par les mouvements brusques de sa main droite tandis qu'il parlait au musicien.

L'orchestre s'accorda et Delambre monta sur le podium. Il donna quelques instructions générales et annonça des modifications à différents endroits de la partition. Voulant faire un travail consciencieux, je pris mon crayon pour noter ces corrections, mais, comme on pouvait s'y attendre, aucune ne me concernait: je ne jouais que dans une seule mesure. Puis il lança l'orchestre.

Dès les premiers sons, je ne pus m'empêcher d'être surpris: c'était la première répétition de cette pièce et, pourtant, tout semblait en place. C'était une musique complexe et touffue, les quatre-vingts musiciens de l'orchestre formaient une espèce de machine infernale tournant à toute vitesse. On entendait comme des vagues sonores circulant à travers l'orchestre, des déferlements d'énergie. Et quel son! À la fois puissant et velouté, j'en étais tout enveloppé et me sentais comme dans le ventre de ma mère, malgré la violence contenue qui émanait de cette musique. C'était la première fois que j'entendais l'OS d'aussi près, de l'intérieur, en fait, et c'était proprement renversant, au-delà de toutes mes attentes.

Et pourtant, après quelques minutes, Delambre arrêta l'orchestre. Je croyais qu'il allait féliciter les musiciens pour cet excellent début, mais pas du tout, bien au contraire, il demanda à tous de faire un effort supplémentaire de concentration.

— Nous sommes dimanche matin, je le sais bien, dit-il presque brutalement, mais nous n'arriverons à rien de cette façon. Les cuivres, vous êtes constamment en arrière, et puis la justesse, n'est-ce pas, ce n'est pas terrible.

Je commençais à comprendre: Delambre était le type même du chef exigeant. Tandis qu'il faisait reprendre l'orchestre, je l'observai un peu. Ses gestes étaient extrêmement précis même s'il battait sensiblement avant les temps, une façon de diriger à laquelle je n'étais pas habitué, plutôt européenne, je crois. On aurait dit qu'il avait dirigé cette pièce des dizaines de fois tant ses gestes étaient fluides. Il regardait assez peu la partition et était presque toujours en contact visuel direct avec l'un ou l'autre des musiciens. Et lorsqu'il arrêtait pour donner une explication ou réclamer quelque chose, voire pour tancer quelqu'un, ce qu'il fit à plusieurs reprises au cours de la répétition, il ne prononçait jamais un mot superflu, ses phrases étaient précises, puissantes et frappantes. Il avait un charisme indéniable, qualité d'importance primordiale pour un chef d'orchestre.

La répétition avança ainsi, dans une atmosphère rendue malgré tout un peu tendue par l'apparente mauvaise humeur du chef. Pour ma part, je ne me sentais pas vraiment concerné, j'avais l'impression d'être un invité, tout au fond de la salle, sur mon tabouret. Mes collègues percussionnistes, eux, trimaient dur. Cardinal n'avait pas menti : leurs parties étaient bien remplies et, par moments, très virtuoses. Je me fis la réflexion que j'étais finalement bien tombé, avec mon coup de triangle, que j'aurais peut-être eu de véritables problèmes si on m'avait assigné, par exemple, la partie de Tremblay. Mon intervention de la mesure six cent soixante et onze me semblait maintenant une simple formalité.

On fit une pause, vers dix heures vingt, pendant laquelle j'allai me dégourdir les jambes dans le couloir, pour faire comme tout le monde. Lorsque nous reprîmes le travail, nous n'en étions qu'à la moitié de la pièce, encore assez loin de mon coup de triangle. À la mesure quatre cent, je me dis que j'avais vraiment trouvé ma place, que je passerais le restant de mes jours avec l'Orchestre Symphonique. À la mesure cinq cent, je me vis prendre la place du vieux Thibaudeau : timbalier, un poste prestigieux taillé sur mesure pour moi. Mais à la mesure six cent, lorsque, tout à mes rêveries, je pris distraitement la baguette de triangle entre le pouce et l'index, lorsque je me mis à observer le bout de la baguette, d'abord sans vraiment y penser, puis avec plus d'attention, lorsque je vis ou crus voir cette petite tige métallique dessiner dans l'air des cercles concentriques, hors de mon contrôle, les choses se mirent à prendre un autre tour. À la mesure six cent vingt, j'avais le dos inondé de sueurs froides. À la mesure six cent quarante, j'avais le vertige et craignais de tomber de mon tabouret, je voyais double. À la mesure six cent soixante, j'avais perdu tout contrôle sur le cours de mes pensées, ne parvenant qu'à suivre le compte inexorable des mesures qui passaient, j'étais dans un état second. Et quand arriva la mesure six cent soixante et onze, qui correspondait à une soudaine accalmie après le moment paroxystique de la pièce, ma main refusa carrément de bouger, la baguette ne toucha pas au triangle.

Je crus entendre Delambre arrêter l'orchestre et hurler quelque chose à mon intention, mais tout était flou. J'étais ailleurs, complètement perdu. La seule chose que je parvenais à saisir avec certitude était que mon existence était en train de s'effondrer sur elle-même : c'était la fin de tout.

Je commençai à revenir à moi en sentant la main de Tremblay sur mon épaule.

— T'en fais pas, dit-il. Ça arrive à tout le monde. J'ai fait pire, je te raconterai une bonne fois.

Je réalisai que la répétition était terminée, que les musiciens se levaient, quittaient la salle. Cardinal vint me voir.

— Tu t'es perdu ? me demanda-t-il d'un ton paternel.

— Non, en fait, non… j'étais à la bonne place, mais le coup n'est pas parti. Je suis vraiment désolé, je…

Il ne me laissa pas terminer.

— Ne t'excuse pas, ça nous arrive à tous, un jour ou l'autre. Maintenant, ce qui compte, c'est que ça n'arrive pas au concert.

Il réfléchit, regarda mon triangle, ma partition.

— Tu es nerveux? continua-t-il.

Je me dis qu'il valait sans doute mieux être honnête.

— Oui, insupportablement, répondis-je. Je ne comprends pas pourquoi. Ça ne m'est jamais arrivé.

Il hocha la tête.

— Tu sais, ça peut s'arranger, tu as simplement besoin d'un peu d'aide. Je vais te dire ce que je ferais à ta place: j'irais voir le vieux Deléglise, aujourd'hui même.

— Deléglise? fis-je, incrédule. Guy Deléglise? Il est encore vivant?

— Oui, oui, dit-il en riant, il n'est plus très fort, mais il est vivant. Et je t'assure que, de loin, il veille toujours sur notre section de percussions, sur «sa» section de percussions. En quarante ans à l'OS, il a connu tous les problèmes que pouvait avoir un percussionniste, et il a toujours su trouver des solutions. Et puis, Deléglise, c'est un vrai psychologue, même un magicien, si tu veux mon avis. Aller le voir, c'est vraiment ce que tu as de mieux à faire, crois-moi.

L'idée me paraissait parfaitement farfelue. Mais Cardinal avait l'air si sûr de lui, et j'avais si désespérément besoin de trouver une solution, que je m'engageai à essayer de voir Deléglise l'après-midi même. D'ailleurs, je voyais bien dans le regard de Cardinal que ce «conseil» était en fait un ordre de mon supérieur hiérarchique.

Il n'avait pas son numéro de téléphone sur lui mais put m'indiquer précisément comment me rendre chez lui.

— Tu es déjà allé à Sorel? me demanda-t-il.

— Euh, non, je ne crois pas.

— Eh bien, tant mieux ! Ça te fera voir du pays ! C'est à peine à une heure de Montréal, il y a un autobus, c'est facile comme tout. Et le vieux ne sort plus de chez lui, tu es certain de le trouver. Il va te recevoir avec plaisir, ne t'inquiète pas. Tu lui diras bonjour de ma part.

*

Je descendis de l'autobus, au terminus de Sorel, vers quinze heures. Je constatai que ce qu'on appelait pompeusement, dans le dépliant de la compagnie d'autobus, le « centre-ville » de Sorel, n'était en fait que… pas grand-chose. Il y avait, d'un côté de la rue, une série de bâtiments industriels assez anciens, en brique rouge. Entre deux de ces bâtiments, je pus apercevoir un cours d'eau ; trop étroit pour être le Saint-Laurent, ce devait être le Richelieu. Soit que les usines fussent désaffectées, soit qu'on n'y travaillât pas le dimanche, je n'y vis aucun signe d'activité. En fait, le seul endroit qui semblait fonctionner était une gargote passablement déglinguée baptisée « Patate du Roi », d'où je vis sortir quelques adolescents.

Je continuai sur la rue du terminus, comme Cardinal me l'avait indiqué, jusqu'à un petit parc carré, assez coquet pour l'endroit. C'était sans doute le véritable cœur de Sorel, il y avait plus d'activité, les maisons aux alentours étaient un peu mieux entretenues. Je dépassai le parc, tournai à droite sur la rue suivante et arrivai rapidement devant la maison de Deléglise : deux étages, toit rouge, petite fenêtre ronde au-dessus de la porte d'entrée, palissade blanche, bouleau, pas d'erreur possible, c'était exactement la maison que Cardinal m'avait décrite. Je me dis que c'était tout de même absurde d'arriver là sans m'être annoncé. Qu'allait-il penser, Deléglise, lui qui ne me connaissait ni d'Ève ni d'Adam? Et cette histoire de triangle était déjà complètement invraisemblable en elle-même, il allait me prendre pour un cinglé, c'était inévitable. J'avais monté les trois marches qui menaient jusqu'à la porte de la maison mais n'arrivais pas à me résoudre à sonner. J'attendis un moment, espérant presque qu'on viendrait m'ouvrir sans que j'aie besoin de me manifester. J'approchai l'oreille de la porte et tentai de capter d'éventuels bruits provenant de l'intérieur, mais la maison me sembla parfaitement silencieuse. Peut-être n'y avait-il personne, après tout, pensai-je. Ce fut cette pensée qui me donna le courage nécessaire pour sonner.

Plusieurs longues secondes s'écoulèrent avant que j'entende des pas de l'autre côté de la porte. Une main écarta légèrement le rideau qui habillait la porte vitrée, un œil s'inséra dans la fente ainsi ménagée et je fus observé pendant un moment, qui me parut une éternité. Puis la porte s'ouvrit, et je vis apparaître un vieil homme assez robuste en qui je reconnus aussitôt Guy Deléglise, que j'avais déjà vu en photo.

— Oui? dit-il d'une voix enrouée et légèrement méfiante.

— Bonjour, dis-je après un moment d'hésitation. C'est Cardinal, de l'OS, qui m'a donné votre adresse. Je suis percussionniste.

Son visage s'éclaira un tout petit peu.

— Louis, c'est ça? dit-il. Ne reste pas dehors comme ça.

Je le suivis à l'intérieur, un peu mal à l'aise devant cet accueil qui aurait vraiment pu être plus chaleureux. Sa maison était une véritable jungle: il y avait des plantes partout, du plancher au plafond. En voyant mon étonnement, il me dit qu'il s'était converti au jardinage d'intérieur :

— Ma nouvelle vocation.

Sans ajouter un mot, il me montra du doigt quelques plantes rares, très jolies. Je constatai qu'il se servait de vieilles baguettes de caisse claire comme tuteurs : il restait malgré tout quelques traces du grand percussionniste derrière le jardinier. Tandis qu'il me faisait traverser plusieurs pièces, je remarquai que, malgré son apparente robustesse, il marchait très lentement et très difficilement, s'aidant des meubles et des murs pour avancer. Son pied droit était presque deux fois plus gros que le gauche, ce qui, je le supposai, devait indiquer un problème de santé majeur. Peut-être était-ce la raison de son air peu amène. Je fus un peu ébranlé par cette idée, un peu ému, serais-je le dernier à venir lui demander conseil… ? Dès lors, cette rencontre prit pour moi une teinte solennelle.

Il me mena jusqu'à une petite pièce entièrement vitrée, à l'arrière de la maison, qui donnait sur un jardin. Au-delà du jardin, on apercevait une partie de ce que je devinai être le fleuve Saint-Laurent. Un cargo rouillé descendait tranquillement vers la mer. Deléglise me fit asseoir.

— Vin blanc ? demanda-t-il, laconiquement.

J'acceptai volontiers et m'offris à l'aider, ce qu'il refusa net. Je restai donc à regarder le bateau passer. Cette vue, ce lieu, me calmaient déjà un peu. Je me pris à penser qu'après tout je trouverais peut-être effectivement une solution à mon problème ici. Mais que dire au juste à Deléglise ? Et, d'abord, comment connaissait-il mon nom ? Cardinal l'avait-il appelé en rentrant chez lui après la répétition ? Oui, ce devait être ça.

Deléglise ne tarda pas à revenir avec une bouteille de vin blanc dans un seau à glace ainsi que deux verres à pied. Il fit le service.

Le vin était bon, autant que je pouvais en juger, n'étant pas un expert. Le premier verre eut un effet magique sur le vieil homme : ses traits se détendirent tout à coup et un sourire apparut sur son visage. On aurait dit qu'il venait seulement de se joindre à moi dans le monde des vivants. Je fus tout de suite plus à l'aise.

Je ne savais pas par où commencer, mais Deléglise régla le problème en engageant lui-même la conversation, à ma grande surprise.

— Alors, commença-t-il, presque joyeusement, as-tu eu ta première répétition avec l'OS ?

Cette question m'intrigua fort : Cardinal ne lui avait donc pas téléphoné aujourd'hui.

— Oui, dis-je, ce matin. J'en reviens tout juste, en fait. Mais, si ce n'est pas trop indiscret, est-ce que je peux vous demander comment vous êtes au courant ?

Il sourit.

— Oh, mais c'est très simple. L'orchestre me téléphone toujours avant d'ajouter quelqu'un à la liste des percussionnistes surnuméraires. Alors, chaque fois, surtout lorsque je ne connais pas le candidat, comme c'était le cas pour toi, je fais ma petite enquête.

Il prit une gorgée de vin avant de poursuivre.

— Alors, dis-moi, y aurait-il eu un pépin, à la répétition ?

— Euh... oui, un genre de pépin, puisqu'on ne peut rien vous cacher.

— Tu m'en parles un peu ?

Je lui racontai donc toute l'histoire, depuis la remise de la partition, chez Cardinal, jusqu'au désastre du matin, en passant par mes multiples tentatives infructueuses de la veille. Je me sentais un peu gêné de le déranger pour si peu, pour un vulgaire coup de triangle, mais Deléglise ne semblait nullement agacé, il m'écoutait extrêmement attentivement. Faire ce récit me permit de sortir un peu de moi-même, de considérer cette histoire, ce « problème », comme ceux d'un autre. C'était peut-être déjà une forme de thérapie.

Lorsque j'eus terminé, Deléglise laissa s'installer un long silence, pendant lequel nous regardâmes tous deux le jardin, le fleuve. Il se tourna finalement vers moi et se mit à me poser des questions à la chaîne, à la manière d'un médecin.

— As-tu l'habitude d'être nerveux ?

— Non, pas du tout.

— T'est-il déjà arrivé quelque chose de similaire, aussi loin que tu puisses te souvenir, même dans la petite enfance ?

— Je ne crois pas, non.

— Tu maîtrises bien la technique du triangle, tu n'as pas d'inquiétudes de ce côté ?

— Non, vraiment pas d'inquiétudes.

— Des problèmes de santé ?

— Aucun.

— Jamais de tendinite, de tunnel carpien ?

— Jamais, non.

— As-tu fait des excès, ces derniers jours : alcool, drogues ?

— Non, vraiment pas d'excès, pas du tout.

Il s'arrêta et se pencha pour remplir nos verres.

— Bon, dit-il ensuite, dans ce cas, je vais te raconter une histoire, si tu le veux bien.

Je hochai la tête.

— Le métier de percussionniste, ce n'est pas un métier facile. C'est un travail de haute précision qui sollicite autant le corps que l'esprit. Tu le sais, à l'orchestre, la pression est très forte sur nous. Nous sommes les musiciens qui ont le moins droit à l'erreur, tout doit toujours être parfait dans la section de percussions et, pourtant, Dieu sait que nous nous faisons souvent regarder de haut par ceux de nos collègues musiciens qui ont l'honneur d'être assis plus près du chef... Il n'est pas surprenant que ce soit nous, les percussionnistes, qui nous retrouvions avec les problèmes de santé, physique et mentale, les plus sérieux et les plus énigmatiques. J'ai croisé toutes sortes de cas, à l'OS et dans l'enseignement, et je dois te dire que le tien n'est pas le plus étrange. Au contraire, je dirais qu'il s'agit presque d'un cas d'école, tu vas voir pourquoi.

Il plissa les yeux, comme quelqu'un cherchant à faire revenir à sa mémoire un souvenir lointain et presque oublié.

— Il y a très longtemps de cela, reprit-il, mon Dieu, cela devait être au début des années soixante, j'ai eu une jeune élève qui m'est arrivée avec un problème un peu similaire au tien. Je me souviens très bien d'elle puisque c'était la toute première fille à entrer dans ma classe. C'était une bonne élève, pas nerveuse ni timide, et elle faisait toujours bonne figure à l'orchestre du Conservatoire... sauf lorsqu'on lui donnait à jouer du triangle. Mise devant cet instrument, on aurait dit qu'elle perdait le contrôle. Elle arrivait bien à en sortir quelque chose, mais c'était toujours le même son : très, très doux, infime, presque inaudible. Elle n'était capable que de frôler l'instrument et c'était déjà, pour elle, un effort presque surhumain. Pendant des mois, je me suis creusé la tête pour trouver une solution, j'ai essayé toutes les techniques imaginables pour venir à bout de son problème, je l'ai même envoyée faire une séance de programmation neurolinguistique (et Dieu sait que je ne crois pas à ces bêtises !) : rien à faire. J'étais inquiet pour elle parce que, si elle pouvait toujours s'arranger tant qu'elle était à l'école, dans le monde professionnel, ça ne passerait plus. Et puis un beau jour, alors que j'avais pratiquement cessé d'espérer, comme par magie, son blocage disparut. Elle-même ne comprenait pas bien ce qui s'était passé, elle savait seulement qu'elle se sentait maintenant devant le triangle comme devant n'importe quel autre instrument à percussion, que les muscles de sa main et de son bras répondaient normalement. Ne voulant pas me contenter de si peu, je questionnai la jeune fille et finis par apprendre que sa «guérison» avait coïncidé avec une rupture amoureuse. Elle refusa catégoriquement d'admettre qu'il pût y avoir un lien de cause à effet, mais pour ma part, il ne pouvait en être autrement, et son obstination ne faisait que me le confirmer.

Un court silence; un vent fort s'était levé qui faisait vibrer les fenêtres. Il poursuivit:

— Cette histoire m'a beaucoup fait réfléchir, à l'époque. Elle m'a fait comprendre qu'au fond le triangle est un instrument tout à fait à part. C'est sans contredit l'instrument le plus simple de l'orchestre, n'importe qui peut en jouer, la technique est on ne peut plus élémentaire. Mais je crois que cette simplicité même a pour effet d'attiser la peur, d'éveiller les angoisses, de remuer les problèmes enfouis, inconscients. Notre esprit, et même notre corps, voient quelque chose d'«irrémédiable» à un coup de triangle. Le geste à faire est si simple qu'il devient un symbole, une métaphore: on se retrouve devant le triangle comme devant notre propre vie.

Il fit une pause, comme pour laisser le temps à ses paroles de se déposer. Je n'étais pas complètement certain de voir où il voulait en venir.

— Finalement, continua-t-il, ce que je veux te dire, c'est qu'à mon avis ton blocage n'est pas simplement le résultat de la nervosité: il y a sans doute là-dessous un véritable problème, pas nécessairement majeur, mais un problème tout de même. Je crois que tu as simplement quelque chose à régler dans ta vie, quelque chose dont tu dois te libérer, un geste que tu dois faire. Tu as peur du triangle, et cette peur, c'est la peur de l'irrémédiable. C'est là que tu dois chercher, c'est cette peur-là que tu dois briser.

Deléglise me regarda avec un sourire bienveillant mais énigmatique. Il me servit un autre verre de blanc. Je ne savais pas comment réagir. Je n'arrivais pas même à savoir si je devais prendre ses « hypothèses » au sérieux. Il me semblait qu'il y allait un peu fort. Et puis, je n'avais que deux jours devant moi pour trouver une solution, n'était-ce pas un peu court pour cette espèce de psychothérapie appliquée qu'il me proposait ? Une seule question, peut-être un peu bête, me venait à l'esprit :

— Et que pensez-vous que je doive faire ?

— Ah, ça, répondit-il, c'est à toi de voir. Il faut que tu y réfléchisses un peu. Essaie d'aller au fond de toi et de voir ce qui te tracasse, essaie de faire un peu de ménage. C'est vraiment tout ce que je peux te dire.

Je le questionnai encore pendant un moment, trouvant ses idées assez abstraites, mais je ne pus en tirer rien de plus. Lorsque nous eûmes terminé la bouteille de blanc, je vis que Deléglise était fatigué : son regard était moins vif, il ne bougeait presque plus. La mutation que j'avais constatée au début de notre conversation se reproduisait maintenant en sens inverse. Il se mettait à parler par monosyllabes, son sourire avait disparu. Je décidai donc de prendre congé et il ne fit rien pour me retenir. Il me demanda si je pourrais retrouver seul le chemin vers la porte, préférant se reposer un peu avant de se relever.

— C'est en fin d'après-midi que mon âge me rattrape, dit-il.

Je le remerciai longuement pour ses conseils précieux, promis de faire de mon mieux pour être à la hauteur et le quittai.

Le temps s'était couvert mais il ne pleuvait pas. Je n'avais aucune envie de reprendre l'autobus tout de suite, je décidai donc de marcher un peu et me dirigeai tout naturellement vers le Saint-Laurent. Au bout de quelques minutes, j'atteignis le fleuve, le long duquel avait été aménagée une promenade. Je m'accoudai à la rampe, la vue était superbe. Non loin de là, à ma gauche, se trouvaient l'embouchure du Richelieu et des installations portuaires relativement modestes. Ces installations étaient surplombées d'immenses élévateurs à grains, qui me parurent plus grands que tous ceux que j'avais pu voir jusqu'alors. Je n'avais pas l'habitude d'être si près du fleuve : à Montréal, on ne le voit que très peu. C'était un spectacle assez émouvant, en un sens, et sans doute mon émotion était-elle amplifiée par la demi-bouteille de vin blanc que je venais d'absorber.

Mes pensées me ramenèrent bientôt à la conversation que je venais d'avoir avec Deléglise. J'étais un peu déçu. Faire du ménage… me libérer de quelque chose… c'était facile à dire, comme ça, du haut de ses quatre-vingts et quelques années. Il n'avait pas l'air d'avoir saisi que je n'étais pas en train de faire un caprice, que toute ma vie se jouait sur ce coup de triangle. De la part d'un vieux routier comme lui, je m'attendais plutôt à quelque chose de concret : un exercice pour les muscles de la main droite, à répéter sept fois par jour, la recette d'une tisane apaisante, à prendre avant le concert, une pommade stimulante, à appliquer sur l'avant-bras. Toute cette psychanalyse du dimanche était assez inattendue.

Et puis, malgré ce que Deléglise semblait croire, je ne voyais rien qui posât vraiment problème dans mon existence. Je n'avais pas l'impression d'être malheureux, pas profondément malheureux en tout cas, j'aurais pu l'être bien plus. Des gens vraiment malheureux, il y en avait partout, j'en rencontrais tous les jours, et je n'étais pas de ceux-là. Toute cette histoire était complètement saugrenue. J'étais nerveux, j'avais le trac, voilà tout. Et quoi de plus normal? Ce contrat était un moment décisif dans ma vie, et toute son importance se concentrait en un seul et unique coup de triangle. Un coup de triangle qui, en conséquence, avait quelque chose... d'irrémédiable.

Tout indiquait qu'il allait bientôt pleuvoir, et pourtant je n'étais plus seul à admirer la vue sur le fleuve, quelqu'un d'autre était venu s'appuyer à la rampe, un peu plus loin sur ma droite. C'était une fille de mon âge, ou peut-être un peu plus jeune, difficile à dire. Je me mis à l'observer de biais. En fait, c'était une jolie fille, et même une très jolie fille. Pas très grande, silhouette fine, longs cheveux châtains attachés négligemment. Probablement une employée d'un des petits commerces que j'avais croisés, au « centre-ville ». Je me dis qu'elle avait tort de rester dans cette petite ville, que jolie comme elle était elle pourrait se trouver un bien meilleur boulot à Montréal, mais, en y pensant bien, s'il fallait que toutes les petites villes se vident de leurs jeunes femmes... Elle avait le regard complètement perdu dans les remous du fleuve, semblait ignorer ma présence. Elle avait sans doute l'esprit accaparé par une rêverie quelconque, certainement pas par un problème sérieux, certainement pas par un problème comme le mien, pensai-je.

Tandis que je me faisais ces réflexions, la pluie se mit à tomber, très violemment. Si violemment que je ne pus faire autrement que de chercher à m'abriter. Je repérai un petit périmètre épargné par la pluie le long du mur d'un kiosque, à quelques mètres derrière moi. Je m'y rendis aussitôt à grandes enjambées et, ce faisant, constatai que la jeune fille avait eu la même idée, il n'y avait vraiment nul autre endroit où aller. Je me retrouvai donc tout près d'elle, la touchant presque. Nous nous regardâmes, échangeâmes un sourire un peu vague.

— Il pleut, dis-je.

— Oui, répondit-elle, il pleut assez fort.

Elle laissa passer quelques secondes, puis ajouta, comme pour elle-même :

— Mais c'est joli, quand même.

Je trouvai à cette affirmation toute simple tellement de profondeur implicite et mystérieuse que je ne sus pas quoi répondre. Cette pluie, sur le fleuve, était effectivement très jolie. Il suffisait d'ouvrir les yeux, de vraiment les ouvrir, pour le voir. L'averse dura moins de cinq minutes puis s'arrêta subitement, comme une pluie d'été. Je quittai l'abri le premier, en direction de la ville, sur un signe de tête adressé à la jeune fille, signe de tête qu'elle me rendit sans véritablement sourire, mais presque. Je regrettai bien vite de ne pas avoir lié connaissance avec elle. Au fond, qu'aurais-je pu y perdre ? Sans doute avais-je eu peur de l'irrémédiable.

En chemin vers la station d'autobus, je recommençai à réfléchir aux conseils de Deléglise. Était-ce vraiment cela ? Avais-je peur de l'irrémédiable ? En fin de compte, en me demandant de briser cette supposée peur, Deléglise me suggérait ni plus ni moins que de commettre l'irrémédiable, de me commettre irrémédiablement. Et, là-dessus, il n'avait peut-être pas tort : je ne m'étais effectivement pas beaucoup commis, ces dernières années. Ma vie avait suivi son cours, peut-être un peu banal, mais pas ennuyeux, sans nécessiter d'important coup de barre de ma part. Même la rupture avec Véronique s'était faite comme d'elle-même, c'est-à-dire que je l'avais subie, stoïquement.

L'autobus vers Montréal s'apprêtait à partir lorsque j'arrivai à la station. Je montai. Tandis que nous nous engagions sur l'autoroute, je réalisai que, malgré tout, je me sentais mieux qu'avant ma rencontre avec Deléglise. Ma situation me paraissait un peu moins sombre, moins désespérée. Le vieil homme avait eu le mérite de proposer une issue, aussi vague et lointaine fût-elle. Et, au fond, pourquoi ne pas tenter d'atteindre cette issue ? N'était-ce pas ce que j'avais de mieux à faire ? Il suffisait de trouver par où commencer, ce qui n'allait pas de soi.

Après moins de vingt minutes de route, bercé par le vin que je venais de boire et par le ronronnement du moteur, je m'endormis profondément, la tête calée entre mon siège et la vitre. Et je rêvai à la jeune fille que j'avais rencontrée sous l'averse.

JUSTINE BIRON

Après une très mauvaise nuit, j'avais passé toute la matinée à ruminer mes soucis. Le peu de cas qu'on faisait de mon travail, l'ingratitude dont tout le monde faisait preuve à mon égard, étaient déjà des problèmes qui justifiaient une réaction vigoureuse de ma part. Mais à cela s'ajoutait un autre problème, un problème plus délicat et peut-être aussi plus grave: ma mère. On s'attend normalement à ce qu'une mère prenne de moins en moins de place dans l'existence de ses enfants au fur et à mesure qu'ils vieillissent. Pour moi, la logique semblait s'être inversée: particulièrement depuis la mort de papa, ma mère se faisait chaque jour plus accaparante. Elle avait toujours aimé, selon son expression, «vivre pleinement ses émotions». Or, ses émotions étaient de plus en plus violentes, de plus en plus incontrôlables, et c'était moi qu'elles éclaboussaient, systématiquement. En plus de me téléphoner plusieurs fois par jour, ma mère s'était mise à débarquer chez moi, à Montréal, assez régulièrement, et souvent sans avertir. En fait, elle était pratiquement devenue ma colocataire, sans jamais m'en avoir vraiment demandé la permission. Elle n'avait plus envie de vivre à Sorel et comptait vendre la maison familiale aussitôt le problème de la succession réglé. Elle pourrait alors se trouver un appartement en ville, mais d'ici là, c'était mon propre appartement qui lui tenait lieu de pied-à-terre. Encore heureux qu'on se soit porté volontaire pour la reconduire chez elle après la réception de la veille, car, autrement, étant donné son état d'ébriété, je l'aurais encore une fois eue sur les bras.

J'étais épuisée. Le besoin de me libérer d'elle et de ce travail que je ne voulais plus faire était plus fort que jamais. Et la crise de la veille, au musée, était la goutte qui avait fait déborder le vase. J'étais bien forcée de l'admettre : je n'avais pas de vie. Ni sentimentale, ni aucune autre. Ce carcan familial et professionnel dans lequel j'étais prise avait eu raison de toutes mes petites, et moins petites, histoires d'amour. Plus ou moins consciemment, j'en étais venue à ne plus rien tenter de ce côté. D'autant plus que les hommes qui s'intéressaient à moi me voyaient toujours comme « la fille de Biron », ce qui, au bout d'un certain temps, devenait absolument insupportable. J'aurais voulu quelqu'un de naturel, de normal. Et pour cela, me semblait-il, il fallait que je mène une vie normale, une vie à moi.

Au terme de plusieurs heures de réflexion matinale, je décidai de me rendre à Sorel pour parler à ma mère.

Il avait toujours été très difficile d'avoir une conversation sérieuse avec elle. Elle détestait le sérieux. Ce qu'elle voulait, c'était de la fantaisie, de l'imagination, du rire, toujours du rire. Quel contraste avec mon père, qui avait été un homme d'un sérieux presque maladif. C'était sans doute un bon exemple de « complémentarité amoureuse », mais j'avais toujours pensé que leur couple n'aurait jamais tenu le coup sans les trente années qui les séparaient : la différence de tempérament s'assimilait à la différence d'âge qui créait entre eux comme une distance. Cette distance avait toujours réussi à oxygéner leur relation, permettant à cette affection qui les unissait, affection qu'il m'aurait été bien difficile de décrire ou d'expliquer, de rester vivace.

J'avais dit à ma mère, au téléphone, que je devais récupérer quelques dessins qu'il était question d'exposer dans une rétrospective prévue pour l'année suivante. Ces dessins n'étaient en fait qu'un prétexte : je préférais ne pas éveiller ses soupçons. Bien que je fusse maintenant déterminée à prendre mes distances, le faire comprendre à ma mère n'allait pas être de tout repos, je le savais. Il me fallait d'abord réussir à avoir toute son attention, à l'entraîner dans une conversation sérieuse, ce qui demandait un peu de ruse et beaucoup de ténacité.

Je la trouvai au téléphone avec sa sœur. Elle en était très proche et lui parlait presque tous les jours. Lorsqu'elle me vit entrer dans le salon, elle me fit comprendre par signes qu'elle n'en avait pas pour longtemps, que je pouvais m'asseoir, ce que je fis. Je ne pus faire autrement que d'écouter ce qu'elle disait à sa sœur.

— Oui… tu as raison, je suis trop gentille, je me laisse manger la laine sur le dos, comme toujours… oui… oui, exactement… et puis c'est bien ce que Serge me disait : il faut que je m'occupe de mon bout de la corde et que je laisse les autres s'occuper du leur, chacun son bout de corde et les cochons seront bien gardés… oui… ah ! tu as tellement raison, ça me fait tellement de bien, ce que tu me dis là, tu peux pas savoir… oui… il faut apprendre à penser à soi, je pense que je ne sais pas encore vraiment dire « je »… oui… écoute, Justine est là… oui oui, bien sûr… c'est ça… oui… je te rappelle demain… d'accord… je t'embrasse.

Elle raccrocha et se leva pour venir m'embrasser.

— Salut ma chouette ! Ta tante te fait dire bonjour.

Elle me proposa ensuite une tasse de thé.

— Tu dois bien avoir deux petites minutes pour moi, on ne s'est presque pas vues hier soir!

Comme toujours, elle passait ses frasques sous silence, elle faisait comme si rien de particulier ne s'était passé la veille. Mais comme je n'avais pas spécialement envie de savoir ce qui était arrivé après mon départ, je n'ajoutai rien qui pût lui remettre en tête son altercation avec Stéphane.

De retour au salon avec le thé, ma mère se mit à m'expliquer où elle en était dans les préparatifs d'une soirée qu'elle allait donner trois semaines plus tard. Elle invitait tous les amis et connaissances de papa, tous ses amis à elle, la famille, les voisins, etc. Depuis plusieurs semaines déjà, cette soirée était une véritable obsession pour elle. Même les problèmes de la succession ne la préoccupaient pas autant, quoique j'eusse un peu l'impression qu'elle avait l'intention de se servir de cette soirée pour réconcilier définitivement les deux moitiés de la famille. Mais cela, elle ne semblait pas prête à l'admettre, pas pour le moment.

Non seulement étais-je déjà au courant de tout ce qu'elle me racontait, mais je sentais ma patience et ma détermination s'émousser peu à peu. J'étais en train de réaliser que je n'aurais d'autre choix que d'attaquer frontalement. Dès que je pus me ménager un espace dans la « conversation », je sautai sur l'occasion :

— Maman, dis-je de but en blanc, je suis contente que ça avance bien, pour ta soirée, c'est vraiment super, mais tandis que je suis ici, il y a quelque chose dont je voudrais te parler.

Je venais de briser son rythme. Je vis tout de suite son regard se teinter d'inquiétude, et même d'un peu de méfiance.

— Ah, oui, bien sûr, de quoi donc? dit-elle.

J'aurais voulu poursuivre d'un ton ferme et sérieux pour bien lui faire comprendre que je ne parlais pas à la légère, que j'avais bien réfléchi, mais ce fut plus difficile que je ne l'avais cru. Comme si j'avais inconsciemment eu peur de blesser ma mère, ou de la mettre en colère, c'est, bien malgré moi, d'une voix douce et presque souriante que j'abordai le problème :

— Eh bien, tu sais, j'y ai pas mal pensé, et je crois qu'il serait temps qu'on engage quelqu'un.

Elle ne bougea pas. Elle continuait à me regarder au-dessus de sa tasse de thé encore fumant. Elle n'avait pas l'air de comprendre.

— Tu veux dire... pour la soirée ? Pour faire le service ? tenta-t-elle.

Non, pensai-je, elle voyait parfaitement où je voulais en venir, elle n'était tout de même pas si bête, mais elle se braquait. Elle cherchait sans doute une façon de faire dévier la conversation ou de me mettre en échec avant que j'aie pu aller trop loin.

— Mais non, maman, pas pour ta soirée, quelqu'un pour s'occuper des affaires de papa. Un professionnel, qui aurait un bureau, qui travaillerait à plein temps, qui ne serait pas partie prenante, qui pourrait même faire démarrer la fondation dont personne ne veut vraiment s'occuper.

Elle plissa les yeux, continuant à jouer celle qui ne comprenait pas.

— Tu veux dire que tu as trop de travail ? Tu veux quelqu'un pour t'aider ? Mais, à plein temps, ça ne serait pas un peu exagéré ? Il y a tant de travail que ça ?

Je sentis que c'était le moment décisif, qu'il ne fallait surtout pas fléchir maintenant.

— Non, maman, tu ne comprends pas. Ce que je te dis, c'est que je crois qu'il serait temps d'engager quelqu'un pour me remplacer, pour faire mon travail.

Aussitôt cette phrase prononcée, la culpabilité commença à s'insinuer en moi. J'eus peur d'avoir été trop directe et, avant que ma mère ne réagisse, je m'empressai d'ajouter :

— Je ne suis plus du tout certaine d'être la bonne personne pour ce travail. Quelqu'un de plus agressif pourrait sans doute faire plus pour l'œuvre de papa.

Ma mère ne disait rien. Elle me fixait d'un air impossible à interpréter. Un peu décontenancée, je commis ma première erreur stratégique :

— Et... tu sais... je ne dis pas que je m'en détacherais complètement, j'en ferais simplement un peu moins, je prendrais une petite distance. J'aurais plus de temps pour mes propres projets, ce qui me ferait beaucoup de bien, je pense. Tu comprends ?

Pour toute réponse, elle pinça les lèvres. Ce signe ne trompait jamais : la catastrophe était imminente. Je compris tout de suite que je n'aurais pas dû me justifier et encore moins ouvrir la porte à un compromis. J'avais montré des signes de vulnérabilité que ma mère n'hésiterait pas à utiliser pour m'entraîner sur son terrain, le terrain du sentimentalisme.

— J'ai compris, finit-elle par articuler fébrilement, tu m'en veux pour hier soir ! Je t'ai fait honte. Tu as eu honte de moi et tu veux me punir ! C'est ça. Je m'en doutais bien en te voyant partir...

Elle allait pleurer. Encore. Catastrophe. Et je commis une deuxième erreur stratégique :

— Mais non, maman, je t'assure que ça n'a rien à voir avec toi, ni avec la soirée d'hier. J'y pense depuis longtemps.

Lui faire entendre raison ne pouvait être si simple.

— Non, ne nie pas, dit-elle, glissant peu à peu vers l'hystérie. Tu penses que je suis une vieille folle. Tu penses que je suis une vieille folle sentimentale qui a perdu le contrôle de ses émotions. Une espèce de... schizophrène! Oui, c'est ce que tu penses. Et tu as raison! Il faudrait m'enfermer! Et, en plus, je suis une vraie bonne à rien. Je n'ai rien fait d'utile de toute ma vie. Et maintenant, je suis vieille. Une vieille folle, foutue, finie... et fatiguée.

Ça y était, elle pleurait pour de bon. Et j'étais ferrée : j'étais maintenant bien obligée de la consoler, ce qui allait prendre un temps fou.

Pendant les deux heures qui suivirent, nous passâmes en revue tous les aspects de sa vie passée, présente et à venir qui la tracassaient. Je lui fis voir le bon côté des choses, trouvai des solutions provisoires à quelques problèmes mineurs, et nous pûmes finalement en venir à la conclusion qu'elle avait tout pour être heureuse.

Exténuée et passablement déconfite intérieurement, je m'apprêtais à me retirer, vaincue, lorsque, à ma grande surprise, ma mère remit le but de ma visite sur la table.

— Tu sais, dit-elle, maintenant tout à fait calmée, ce n'est peut-être pas fou, ton idée d'engager quelqu'un. De t'engager un assistant, finalement, et qui s'occuperait aussi de la fondation. Il faut y penser...

Elle refusait donc d'admettre que c'était d'un remplaçant que j'avais besoin, pas d'un assistant.

— Mais pour ça, continua-t-elle, il va falloir attendre de trouver un règlement avec ton demi-frère. On n'a presque plus d'argent, et comme on ne peut rien vendre...

Je n'avais plus aucune envie de lutter, aussi me contentai-je d'acquiescer silencieusement. Ma mère, qui ne souhaitait évidemment pas ouvrir le débat, se tut elle aussi. Je passai à l'atelier prendre les dessins de papa et me laissai reconduire à la porte.

— Merci d'être venue me voir, ma chouette. Ça m'a fait du bien de te parler, je me sens toute légère, gaie comme un pinson ! Je pense que tu as raison : au fond, j'ai tout pour être heureuse.

Elle m'embrassa et je quittai la maison familiale.

Instinctivement, plutôt que de reprendre la voiture, je me dirigeai vers le fleuve. Comme je le faisais souvent, je m'appuyai contre la rambarde et me laissai aller à contempler le courant.

Il était arrivé avec ma mère précisément ce que je redoutais le plus. Ce type de scène, sur le mode du « tu ne m'aimes pas, tu veux te débarrasser de moi », avait souvent eu raison de mes projets qui ne faisaient pas son affaire. Surtout durant mon adolescence. C'était un stratagème dont elle avait l'habitude et qu'elle maîtrisait parfaitement.

Penchée sur les remous du fleuve, je ne pouvais m'empêcher de me demander ce qui se passait vraiment au fond de l'âme de ma mère. Quelle était sa véritable position ? Quelle était au juste la part de mauvaise foi dans ses crises ? J'avais toujours été assez partagée à ce sujet. Je ne croyais pas qu'elle jouait purement et simplement la comédie. Non, il y avait bel et bien une véritable spontanéité dans tout cela. Mais, d'un autre côté, comment ne pas y voir aussi du calcul, de la stratégie ? D'autant plus qu'elle finissait toujours par arriver à ses fins.

Non seulement n'avais-je pas même réussi à aborder la question de son « parasitage » de mon appartement, mais le « compromis » qu'elle me proposait n'en était pas vraiment un. Elle n'avait consenti qu'à envisager l'embauche d'un assistant dans un avenir indéterminé, mais certainement lointain. Elle savait aussi bien que moi que le conflit de succession ne se réglerait pas en claquant des doigts ; elle avait tout simplement voulu gagner du temps, ce qui tenait indubitablement d'une forme de calcul. Et, qui plus est, je ne voulais pas d'un assistant, c'était inutile d'y réfléchir. Si je voulais une rupture, celle-ci allait devoir être brutale, totale et sans doute irrémédiable.

J'en étais à ce point dans mes réflexions lorsqu'une pluie torrentielle se mit à tomber, tout à fait soudainement. Le ciel s'était graduellement obscurci au cours de la dernière demi-heure, mais je n'y avais guère prêté attention. L'averse était vraiment trop violente pour être tolérable, je courus donc m'abriter sous l'auvent de la cabane du gardien qui se trouvait non loin de là. Comme c'était le seul abri disponible, je vis un autre promeneur s'y précipiter à ma suite. C'était un jeune homme à l'air un peu perdu qui me fit un sourire en arrivant sous l'auvent. Cet abri ne nous laissait guère plus qu'un mètre carré d'espace; heureusement, je ne voyais personne d'autre venir. Le garçon, qui devait avoir environ mon âge, se sentit obligé de dire quelque chose, une banalité à propos de la pluie, à laquelle je répondis on ne peut plus laconiquement: je n'étais pas d'humeur à engager la conversation avec le premier venu. Je constatai que son haleine sentait l'alcool, il avait dû prendre un coup, ce qui expliquait son air perdu.

L'averse cessa aussi soudainement qu'elle avait commencé. Le garçon quitta le premier notre abri, en direction du Carré Royal. Je le suivis une minute ou deux plus tard et regagnai ma voiture, garée devant l'atelier de papa. Je pris la direction de Montréal.

*

C'était mon père qui m'avait fait cadeau de cet appartement, qu'on aurait pu appeler un loft, lorsque je m'étais installée à Montréal. C'était un grand espace, au dernier étage de l'ancienne usine Dominion Textiles, qui avait été entièrement convertie en appartements, bureaux et ateliers au milieu des années quatre-vingt-dix. Mon père aurait sans doute voulu vivre dans un lieu comme celui-là s'il avait eu à s'installer à Montréal. En ce sens, cet appartement était le lien qui nous unissait encore, beaucoup plus que le travail que je faisais chaque jour pour son œuvre. Moi non plus, je n'aurais pas voulu vivre ailleurs et j'étais bien plus à l'aise à Saint-Henri que je ne l'aurais été à Outremont ou sur le Plateau-Mont-Royal, même si je n'aurais su dire pourquoi au juste. Et peut-être le rapport que j'entretenais avec mon père à travers l'appartement rendait-il particulièrement pénibles les passages répétés qu'y faisait ma mère. C'était sans doute ce que Sigmund aurait pensé.

En arrivant chez moi, je m'allongeai sur le canapé avec mon ordinateur. Une bonne dizaine de messages électroniques m'attendaient, tous plus urgents les uns que les autres. Même le dimanche, impossible d'avoir un peu de tranquillité. Et on s'adressait toujours à moi comme à une sorte de machine, une machine à laquelle il suffisait de donner des instructions pour qu'elle se mette en branle sans broncher, une fois la touche *enter* enfoncée. Mais voilà, ça y était, je bronchais.

Pendant tout le trajet, sur l'autoroute entre Sorel et Montréal, je m'étais efforcée de penser le moins possible, de faire le vide et de me concentrer sur la route. Mais la rancune à l'égard de ma mère s'était amplifiée, augmentant un peu à chaque kilomètre, et cette idée d'une rupture totale avait graduellement fait son chemin en moi. C'est en éteignant mon ordinateur, qui n'était bon qu'à me rappeler ma triste condition, que le moyen, l'outil de cette rupture totale se présenta à moi. Cet outil, je l'avais, pour ainsi dire, sous les yeux. Contre le mur qui faisait face aux grandes fenêtres donnant sur le canal de Lachine, j'avais placé une petite table carrée de style chinois, et sur celle-ci, le *Hibou.* C'était une sculpture de mon père datant de 1995, au début de sa dernière période, qui avait ceci de particulier qu'elle n'avait pas été coulée, comme la plupart des autres, mais bien « tissée ». Elle était faite de très minces fils d'or et de plomb enchevêtrés de façon à former un hibou sensiblement plus grand que nature, haut de cinquante-trois centimètres. L'oiseau avait les yeux fermés, semblait profondément endormi et parfaitement inoffensif. La minceur des fils donnait l'impression que la sculpture pouvait se défaire, se « dénouer », à tout instant, au moindre coup de vent, alors qu'elle était en fait incroyablement massive et d'une robustesse à toute épreuve, ce dont on pouvait avoir l'intuition en s'en approchant et en l'observant de très près. La fabrication du hibou avait demandé à mon père six mois d'un travail particulièrement ardu et minutieux. Il avait ensuite définitivement abandonné la technique du « tissage », pour des raisons qu'il n'avait jamais voulu expliquer. Pourtant, à mon avis, de toutes les œuvres de sa dernière période, c'était la plus réussie. Peut-être avait-il laissé cette technique de côté précisément parce que cette œuvre lui semblait réussie à lui aussi…

Le *Hibou* était la seule sculpture de mon père que je possédais en mon nom propre : il m'en avait fait cadeau pour mes dix-huit ans. Il était donc exclu du patrimoine et, à ce titre, je pouvais en disposer comme bon me semblait. Je pouvais le vendre. Le produit de cette vente assurerait ma subsistance pendant plusieurs années. Ma mère ne me le pardonnerait pas, mais je n'aurais plus de comptes à lui rendre. Oui, ce serait la rupture complète.

Je me levai, m'approchai de l'oiseau. Du bout des doigts, je caressai ses plumes d'or tressé. Supporterais-je de m'en séparer? Oui, pensai-je, je le supporterais. En fait, je sentis à ce moment précis que j'en avais assez de cette sculpture, que je ne voulais plus la voir. Et la posture du hibou me sembla avoir tout à coup quelque chose de résigné qui ne pouvait que me pousser à m'en débarrasser une bonne fois pour toutes. En même temps, l'oiseau semblait me faire le reproche de mes mauvaises pensées, ce qui était insupportable. Je savais bien que c'était un moment de rage qui me poussait à envisager cette solution, mais je savais aussi que, cette fois, je devrais aller jusqu'au bout. Ce serait mon premier véritable acte de liberté, mon affranchissement, et aussi ma vengeance. J'allais vendre ce hibou, quelles qu'en soient les conséquences.

Cette décision prise, la sculpture ne pouvait rester paisiblement sur sa petite table carrée. Je la saisis à bras-le-corps et, au prix d'un effort presque surhumain tant elle était lourde, je parvins à la traîner jusqu'au placard de l'entrée, le seul placard de l'appartement. Je casai l'animal tout au fond, derrière les manteaux d'hiver, le bec face au mur. Dans le même élan, je fis le tour de l'appartement et ramassai tout ce qui appartenait à ma mère : vêtements, produits de beauté, livres. Je fourrai le tout au fond du placard, auprès du hibou. Demain, pensai-je, j'irai voir l'encanteur, et lorsque maman téléphonera, je ne répondrai pas.

LUNDI

PIERRE DELAMBRE

La répétition du matin, consacrée à Beethoven, ne s'était pas mieux déroulée que celle de la veille. En fait, cela avait été pire. Mes commentaires n'avaient pas leur tranchant habituel et ma concentration laissait à désirer, ce qui avait suscité un certain relâchement chez les musiciens. Je ne voulais pas de ce relâchement. Si je devais, malgré moi, diriger sur le pilote automatique, il était impératif que l'orchestre soit à son meilleur. Autrement, ce serait le désastre. J'avais donc été assez intransigeant, et même violent, en tançant vertement les musiciens les plus inattentifs : troisième pupitre d'altos, deuxième hautbois, les contrebasses. Mais j'étais allé trop loin. J'avais installé un climat de terreur qui rendait le travail presque impossible. Et j'avais dès lors envisagé sérieusement la possibilité que le concert du lendemain soit un véritable fiasco et que ce soit, pour moi, le début de la fin. Puisque la fin devait bien commencer quelque part…

Tout cela parce que je ne parvenais toujours pas à reprendre ma place auprès d'Anne-Marie. Quelque chose en moi avait changé depuis les événements de Moscou (les « non-événements »), et cette pensée accaparait mon esprit, il n'y avait plus de place pour quoi que ce soit d'autre. Le retour à la normale me semblait de plus en plus hors de portée, je n'étais plus capable de parler à ma femme, de lui sourire, je l'évitais. À force d'y réfléchir, je commençais à comprendre quelque chose qu'il m'était difficile d'admettre : au fond de moi, j'en voulais à Anne-Marie pour ce qui s'était passé à Moscou. C'était pour elle que j'avais tourné le dos à Svetlana et, du même coup, à ma jeunesse. C'était ainsi que je le ressentais, aussi absurde que ce fût. Cette impression de vieillesse soudaine était sans doute ce qui me perturbait sur le plan musical. J'avais tout à coup peur de ne plus parvenir à me renouveler, j'avais peur de devenir un chef-fossile.

J'avais rendez-vous à midi à Radio-Canada pour une entrevue radio en direct. J'arrivai avec quelques minutes d'avance. Le jeune homme de la réception se leva pour me serrer la main.

— Si vous voulez bien patienter quelques instants, maestro, je vais vous annoncer et quelqu'un vous mènera au studio, dit-il.

— Je vous remercie, mais ce n'est pas la peine, je connais le chemin. C'est au studio quatorze, n'est-ce pas ?

Il sembla un peu décontenancé.

— Euh… oui, c'est au quatorze. Vous êtes certain ? Vous passez la barrière, longez le mur, tournez à droite, encore à droite…

— Merci, oui, je connais le chemin, coupai-je.

Il eut un sourire gêné, se rassit et appuya sur le bouton déclenchant l'ouverture de la barrière, me donnant ainsi accès à la zone « protégée » de l'édifice, zone où se trouvent tous les studios. L'employé me souhaita bonne journée, je répondis par un hochement de tête. Je m'engageai dans l'escalier roulant, descendis un étage, longeai le mur, tournai à droite, encore à droite, et arrivai devant le studio quatorze. Je poussai la porte et entrai.

Curieusement, il n'y avait personne dans la régie. Je crus m'être trompé d'endroit et m'apprêtais à ressortir lorsque j'entendis le son d'une conversation provenant de haut-parleurs accrochés au mur. Il y avait donc des gens dans le studio à proprement parler, qui était séparé de la régie par un mur insonorisé percé d'une grande fenêtre. Les micros du studio avaient dû rester en fonction, ce qui expliquait que j'entende ce qui s'y disait. J'allais avancer dans la régie, mais en entendant mon nom, j'eus le réflexe de rester où j'étais, dans l'enfoncement de la porte, d'où je ne pouvais ni voir les gens qui se trouvaient dans le studio, ni être vu par eux.

— Tu veux dire… Delambre ? demanda une voix de femme que je reconnus comme celle de l'animatrice, Sylvie Champlain.

— Oui oui, répondit une autre voix de femme, plus jeune, qu'il ne me sembla pas connaître.

— Et qu'est-ce que ça veut dire, au juste, être « prudents » ?

— Ah, ça, ma chère, je ne sais pas trop. C'était la première fois que je lui parlais, à cette dame. Je crois que c'était son assistante, ou quelque chose dans le genre. Quelqu'un de l'OS, en tout cas. Elle a dit qu'il a eu une semaine éprouvante, qu'il souffre un peu du décalage horaire depuis son retour de Moscou, samedi, qu'il vaudrait mieux s'en tenir à l'essentiel, ne pas le garder trop longtemps au micro et… être prudents.

— Franchement, Pascale, dit la première en riant, c'est un peu fort. Ils le traitent comme un enfant… ou comme une star du rock. Tu vas voir, s'il est de mauvaise humeur, je vais le dérider, moi ! Je fais des entrevues depuis trente ans, je sais m'y prendre.

J'eus envie de laisser tomber l'entrevue. Oui, cette femme avait raison, on me traitait comme un enfant. Je savais bien que toutes sortes de choses étaient dites lorsque j'avais le dos tourné, je savais qu'on me surveillait discrètement, qu'on avait peur de moi, et, dans un autre contexte, cette « fuite » aurait constitué une anecdote amusante que je me serais plu à raconter. Mais pas ce jour-là. Je n'étais pas vraiment furieux, seulement abattu, profondément découragé. Mais je devais bien jouer mon rôle, aussi, plutôt que de sortir de la régie, je me dépêchai au contraire de rejoindre les deux femmes dans le studio.

Mon entrée les fit sursauter, de même que la troisième personne qui se trouvait dans le studio, un technicien occupé à revisser la capsule d'un micro.

— Bonjour, mesdames, monsieur, dis-je en m'efforçant de sourire. Ne vous inquiétez pas, madame Champlain, je suis d'excellente humeur, il ne sera pas nécessaire de me « dérider ».

Évidemment, il y eut un malaise, que je dissipai un peu en serrant la main à tout le monde. Il n'y eut ni explications, ni excuses. La jeune femme que je ne connaissais pas, et qui s'avéra être la réalisatrice, m'invita à m'asseoir et m'informa que l'émission débuterait dans deux minutes. Elle sortit, de même que le technicien, me laissant seul avec l'animatrice, qui avait pris place de l'autre côté de la table et compulsait quelques documents. Je vis rapidement apparaître plusieurs personnes dans la régie : l'équipe de diffusion.

L'animatrice leva bientôt les yeux vers moi et dit d'un ton un peu embarrassé :

— Bon… alors, je propose que nous fassions cela assez rapidement, si vous le voulez bien, en allant droit au but. Je vous présente, on discute un peu du programme de demain, Beethoven, la pièce moderne, de là, on pourrait dire quelques mots sur le reste de la saison et sur vos projets à long terme pour l'orchestre, peut-être un commentaire à propos de la nouvelle salle, et hop ! Ça vous convient ? De toute façon, vous pourrez me diriger comme vous voulez, je suis ouverte à tout et… c'est vous le chef !

Je répondis que j'étais d'accord et la régie nous avertit que nous serions en ondes dans trente secondes. Je mis le casque d'écoute, m'approchai du micro. Madame Champlain me sourit machinalement avant de prendre la parole.

— Bonjour. Ici Sylvie Champlain, et voici le babillard culturel de midi.

On démarra un indicatif insipide bourré de fautes de contrepoint.

— J'ai le plaisir de recevoir aujourd'hui le maestro Pierre Delambre, qui dirigera demain l'OS dans un programme axé sur Beethoven et, notamment, sur sa *Septième symphonie*. Merci d'avoir accepté notre invitation, maestro.

— Tout le plaisir est pour moi.

Elle présenta ensuite rapidement mon parcours, en insistant sur le fait que je n'étais venu à Montréal qu'une seule fois avant de prendre la tête de l'OS. Elle alla même jusqu'à me demander comment je supportais l'hiver québécois. Si elle n'avait rien de mieux à me demander... Elle finit malgré tout par s'engager sur un terrain plus sérieux :

— J'ai constaté, en étudiant le dépliant de la saison de l'OS, que vous avez programmé, cette année, huit des neuf symphonies de Beethoven. Ça fait beaucoup de Beethoven. J'aimerais que vous nous parliez des raisons pour lesquelles vous vous intéressez tant à ce compositeur.

À vrai dire, ce n'était guère mieux que ses questions sur la température, c'était le degré zéro du journalisme. Il était assez difficile de donner une réponse intelligente à une question aussi bête...

— Eh bien, les symphonies de Beethoven sont, de toute évidence, des sommets du répertoire symphonique. Ce sont des œuvres qui ont conservé leur fraîcheur et qui sont toujours aussi modernes, toujours aussi provocatrices qu'elles l'étaient lors de leur création, il y a environ deux cents ans.

Tandis que je parlais, elle avait noté quelque chose sur le document qu'elle avait devant elle : elle ne m'écoutait absolument pas. Elle reprit :

— On parle beaucoup, depuis quelques années, d'authenticité dans l'interprétation du répertoire classique. On voit maintenant sur le marché des enregistrements des symphonies de Beethoven qui se disent « authentiques », c'est-à-dire avec instruments d'époque, effectifs réduits, tempi et modes de jeu se rapprochant de ce qui se faisait au dix-neuvième siècle, etc. Quelle est votre position par rapport à cette « mode », s'il s'agit bien d'une mode ?

Cette nécessité de polémiquer à tout prix était proprement exaspérante.

— Je ne m'oppose pas du tout à ce que font les partisans de l'authenticité. Leur travail est, en général, intéressant et pertinent. Cependant, je ne fais clairement pas partie de cette mouvance. Les symphonies de Beethoven, comme toutes les grandes œuvres du passé, ont plusieurs visages. Le cœur de ces œuvres est assez complexe, riche, et, comme je l'ai dit, assez moderne pour se prêter parfaitement à une interprétation avec un effectif moderne et des tempi et des articulations repensés. En les considérant comme toujours nouvelles, toujours actuelles, et en les interprétant comme telles, on fait en sorte que ces œuvres continuent à vivre et à nous parler. Pour moi, l'authenticité, c'est s'assurer que les œuvres qui provoquaient le public autrefois continuent de le provoquer aujourd'hui.

— Ah, vous nous menez sur un terrain fort intéressant, celui de la provocation. On dit de vous que vous êtes un grand provocateur !

Elle voulait visiblement que je réponde quelque chose.

— Ah bon ?

Elle rit avec affectation.

— Oui, je vous assure, c'est ce qu'on dit ! N'y a-t-il pas un certain esprit de provocation derrière votre choix de programmer, aux côtés de la *Septième* de Beethoven, une œuvre nouvelle, d'un compositeur que sans doute peu de gens connaissent ici ? Je parle de *Phi,* du compositeur coréen Park In Won, qui sera entendue après l'entracte.

Là-dessus, elle n'avait pas tout à fait tort.

— Oui, peut-être, en effet. J'aime beaucoup faire se côtoyer les monuments du passé et les œuvres d'aujourd'hui. L'idée est de créer une sorte de fertilisation croisée. Le public peut être un peu déstabilisé, mais, au final, il apprécie toujours. La réponse du public à ces « expériences » est très positive.

Elle tint à me faire développer cette question de ma relation avec le public. Elle me talonna pendant plusieurs minutes sur la question de la musique contemporaine : pourquoi la jouer si personne ne veut l'entendre ? Elle était de mauvaise foi et essayait tout simplement de me déstabiliser, comme si j'avais été un politicien en campagne. Ce type d'entrevue n'était vraiment pas le lieu idéal pour aborder une question aussi cruciale que la place de la musique de notre temps dans la société. L'entrevue prenait un tour fort désagréable. Mais le pire m'attendait encore.

— Parlant de provocation, maestro, plusieurs chefs d'orchestre estiment qu'il s'agit d'un outil indispensable, en répétition, pour faire donner aux musiciens le meilleur d'eux-mêmes. Êtes-vous de cet avis ?

Qu'est-ce que c'est que cette question, pensai-je.

— Je ne vois pas très bien ce que vous voulez dire.

— Pardonnez-moi, je vais reformuler ma question. Je crois que c'est un aspect de votre travail qui intrigue beaucoup les gens. Pour arriver à contrôler à la perfection cette masse de gens que constitue un orchestre, il est nécessaire, je crois, d'avoir une poigne de fer, d'être un peu… dominateur. J'aimerais beaucoup que vous nous parliez de cette question. Comment vous y prenez-vous ? Quels sont vos trucs, vos secrets ?

Je commençais à avoir l'impression que cette femme se moquait carrément de moi.

— Il n'est pas question de domination, vous vous trompez. Le travail d'orchestre est un travail d'équipe.

— Oui, bien sûr, mais on ne peut pas nier qu'un chef d'orchestre soit en position d'autorité, n'est-ce pas ? Et plusieurs des plus grands chefs d'orchestre de l'histoire ont la réputation d'avoir été un peu… durs. D'ailleurs, entre nous, c'est un peu la réputation qu'on vous a faite, non ? C'est tout à votre honneur, bien entendu.

C'était incroyable. Visiblement, elle voulait se venger de quelque chose. Sans doute m'en voulait-elle d'avoir intercepté sa conversation à mon propos. Elle voulait engager un combat, une joute oratoire, en direct. Mais je n'allais pas lui faire cette joie, non.

Les silences sont plus longs à la radio que dans la vie réelle. L'animatrice attendait que je réponde ; je n'ouvrais pas la bouche. Elle finit par ajouter :

— Ah, je comprends, vous ne voulez pas livrer vos méthodes au public : secret professionnel, n'est-ce pas ?

Je me retournai vers la régie et vis quelques visages extrêmement tendus, quelques autres qui réprimaient un fou rire. On se moquait de moi, c'en était trop. N'avais-je pas déjà suffisamment de soucis ?

— En effet, madame Champlain, finis-je par répondre, si on veut que le métier conserve son mystère... J'ai été enchanté d'être avec vous aujourd'hui. Je vous remercie de l'invitation.

J'enlevai mon casque et quittai le studio, puis la régie, comme j'avais quitté, la veille, la réunion avec le syndicat. Cela devenait une habitude.

LOUIS

Pendant la nuit de dimanche à lundi, mon sommeil fut presque continuellement troublé par des rêves complexes et désagréables. Pas vraiment des cauchemars, rien de violent ou de vraiment effrayant, c'étaient des enchaînements d'images et de situations un peu étouffantes, qui me laissaient une impression d'angoisse diffuse. Au réveil, le souvenir même de ces rêves était assez vague. Deux images y étaient entremêlées, comme par un caprice de mon subconscient: celle de Guy Deléglise et celle de Véronique. C'est sans doute ce qui explique qu'en mettant le pied hors du lit, en cette journée qui allait être placée sous le signe de l'irrémédiable, je décidai de m'attaquer d'abord au problème que constituait mon ancienne fiancée.

En revenant de Sorel, j'avais passé toute la soirée à ruminer les conseils de Deléglise. L'impression que ses idées étaient farfelues et inutiles avait dominé pendant quelques heures. J'avais du mal à surmonter ma déception initiale: à quoi était bon un médecin incapable de dire à son patient de quoi il souffrait au juste, incapable aussi de lui dire comment remédier à son mal, se contentant de suggestions vagues, de jolies phrases? Pourtant, très graduellement, j'avais réalisé que je n'avais guère d'autre choix que de suivre la voie indiquée par le vieux percussionniste. Après tout, je devais bien tenter quelque chose. Il n'était tout simplement pas possible d'attendre placidement le désastre. Je m'étais donc couché après avoir pris la résolution de consacrer la journée du lendemain à « faire le ménage dans ma vie », pour employer les mots de Deléglise, et à écraser une fois pour toutes ma « peur de l'irrémédiable ».

Je m'étais réveillé plus tôt qu'à mon habitude. Je pris mon petit-déjeuner de bon appétit : le sentiment qu'il allait y avoir de l'action m'insufflait de la vitalité. Tandis que je mangeais, un plan s'échafaudait de lui-même dans mon esprit. J'en étais maintenant convaincu : s'il y avait quelque chose qui clochait dans mon existence, c'était l'omniprésence de Véronique. Je n'avais plus rien à voir avec elle, il fallait que je cesse de la voir, qu'elle cesse de me téléphoner. La première étape était de lui rendre les vingt dollars qu'elle m'avait prêtés. Malheureusement, je n'avais pas cet argent, ma fortune personnelle s'élevant, en ce lundi matin, à la somme faramineuse de douze dollars et quarante et un cents, somme que j'avais répandue sur ma table de cuisine, entre mon verre de jus d'orange et un pot de confiture. Et pourtant, je sentais que je devais régler cette dette le jour même, sans attendre : à travers cet argent, Véronique empiétait sur mon espace vital. Je me résolus donc à emprunter les vingt dollars à quelqu'un d'autre, tout simplement.

Lorsque j'entrai dans le salon, Albert finissait de faire la barbe à un homme d'un certain âge, probablement un retraité pour qui les visites régulières chez le barbier étaient à peu près tout ce qu'il restait de vie sociale. Le coiffeur me fit signe de m'asseoir et poursuivit sa conversation avec le client.

— Vous savez, dit-il, si j'étais vous, monsieur Lapierre, je me jetterais à l'eau.

— Ah oui ? répondit le vieil homme d'un ton hésitant, vous croyez… vous croyez que j'en suis rendu là ? Me jeter à l'eau, je veux bien… mais est-ce que j'ai vraiment une chance ?

Albert prit une voix sévère tandis qu'il faisait glisser sa lame sur le cou de l'homme :

— Écoutez-moi, monsieur Lapierre, si vous n'essayez pas, vous ne le saurez jamais ! Il faut foncer, dans la vie ! Vous l'invitez au restaurant, ou au théâtre, ou au concert, ou au cinéma, enfin, où vous voudrez, et vous lui faites une déclaration en bonne et due forme. Vous m'en parlez depuis assez longtemps, croyez-moi, c'est le moment ou jamais !

Il retira la cape qui protégeait les épaules du client, le fit se lever et passer à la caisse. Le vieil homme, pendant ce temps, marmonnait dubitativement :

— Une déclaration… c'est bien beau, c'est facile à dire, ça, une déclaration…

Albert le reconduisit à la porte en lui répétant ses conseils et en l'encourageant de façon un peu brusque, un peu bourrue. Une fois l'homme sorti, le coiffeur se tourna vers moi.

— Eh oui, on me prend pour un conseiller matrimonial, dit-il en souriant.

Il s'approcha, me serra la main et me scruta pendant un instant.

— Dis-moi tout, jeune homme, lança-t-il.

Puisqu'il le fallait, c'est ce que je fis, je lui racontai tout, exactement comme je l'avais fait avec Deléglise la veille, avec les mêmes mots, les mêmes intonations. Je fis de mon mieux pour présenter les recommandations du percussionniste de façon crédible, ce qui s'avéra assez simple : Albert fut tout de suite convaincu.

— C'est un sage, ton vieux percussionniste, il a parfaitement raison.

Je lui racontai ce que je comptais faire et finis par lui demander, un peu timidement, de me prêter les vingt dollars. Il me répondit avec sa gentillesse habituelle.

— Pas de soucis, Louis, tu me les ajouteras sur ton prochain chèque de loyer.

Je me dis qu'il ne réalisait sans doute pas que, si ma manœuvre échouait, j'aurais bien du mal à payer le prochain mois de loyer. Je gardai cette pensée pour moi, le remerciai plusieurs fois, pris l'argent qu'il me tendait déjà. L'entrée d'une cliente fut mon signal de sortie : j'avais du pain sur la planche et ne voulais surtout pas m'attarder.

J'avais décidé de ne pas avertir Véronique de ma visite. Je ne voulais pas risquer qu'elle refuse de me voir pour une raison quelconque et je savais bien qu'au fond, à cette heure, je ne la dérangerais pas. Véronique travaillait dans une librairie de la rue Beaubien, une minuscule pièce d'à peine quinze mètres carrés avec des livres, usagés, empilés pêle-mêle partout, jusqu'au plafond. Pour certains, c'était un souk dont le quartier aurait bien pu se passer, pour d'autres, c'était la caverne d'Ali Baba. Véronique y était du lundi au vendredi, de neuf à cinq : facile à retenir. Avant midi, les clients étaient rares, je l'aurais toute à moi.

— Ah, comme tu tombes bien ! s'exclama-t-elle en me voyant pousser la porte de la librairie. Tu veux bien aller me chercher un café en face ? Je suis en train de m'endormir sur mon livre. Et prends-moi aussi un muffin, d'accord ? Aux bleuets, le muffin.

Je ressortis sans dire un mot et traversai la rue. Je regrettai aussitôt de n'avoir pas protesté, mais comment se défaire en un jour des habitudes de plusieurs années ? Véronique m'avait toujours mené par le bout du nez.

Je demandai l'habituel double allongé avec un sucre et trois gouttes de lait. La serveuse, Caroline, me fit un air entendu :

— Ça fait longtemps qu'on t'a vu dans le coin. Tu reviens t'installer dans le quartier ?

— Non, non, pas du tout. Je suis venu rapporter un truc à Véronique et elle m'a demandé de lui prendre un café, en passant. Tu peux me mettre un muffin, avec ça ? Aux bleuets.

Elle hocha la tête, suspicieuse.

Lorsque j'avais revu Véronique, depuis la rupture, j'avais toujours insisté pour que ce soit dans des lieux neutres : pas chez elle ni dans les cafés où nous avions eu nos habitudes, comme celui-ci. En fait, c'était la première fois que je revenais dans ce quartier où nous avions vécu ensemble pendant six ans. Cela me faisait un drôle d'effet, d'être là. À la fois agréable et désagréable. Sucré et amer. Comme lorsqu'un rêve nous place en compagnie d'un ami perdu de vue depuis longtemps ou nous fait revenir sur les lieux de notre enfance, le sentiment d'être perdu tout en étant chez soi, une mélodie familière avec une fausse note. Je retraversai la rue.

Véronique me remercia pour le café et le muffin, m'embrassa sur la joue. Elle me demanda de mes nouvelles. Je répondis évasivement que j'allais bien, que les choses débloquaient, que j'avais des projets. Je ne voulais pas entrer dans les détails. Je lui renvoyai la question :

— Et toi, ça va ?

Elle poussa un long soupir, très théâtral, ce qu'on pourrait sans doute appeler un soupir de béatitude.

— Oh oui, ça va. Ça va vraiment bien, vraiment mieux.

Elle fit une pause, le regard dans le vague.

— En fait, je crois que je suis heureuse, vraiment heureuse. C'est Luc. C'est cet homme-là. C'est... magique!

Elle ne semblait pas réaliser qu'elle avait devant elle celui qu'elle avait cru pendant six ans être l'homme de sa vie. Je m'efforçai de dire quelque chose.

— Je suis content pour toi, c'est super.

Mais elle n'avait pas terminé.

— Je dis n'importe quoi, ce n'est pas magique du tout. Il y a un truc, un secret. Le secret du bonheur! Tu sais ce que c'est? Le sexe!

Elle y allait un peu fort. Je commençai à me renfrogner.

— Je te connais, continua-t-elle, je sais que je peux te dire tout ça sans que tu t'offusques: tu es un tout-doux. Mais, oui, le sexe, tout est là. C'est fou que je n'y aie pas pensé plus tôt. Et Luc... il sait vraiment me faire jouir! Oh, là, là, c'est incontrôlable, tu devrais me voir!

Non, je n'avais aucune envie de la voir jouir sous son fougueux don Juan, vraiment aucune. Je ne répondis rien, je restai impassible. Elle leva les yeux au ciel.

— Bon, ça y est, je t'ai fait de la peine! Tu sais, je ne remets pas du tout en cause ta virilité, ça n'a rien à voir avec toi. Je le dis sans complexes, maintenant: de ton temps, je n'étais pas trop portée là-dessus, je croyais que ce n'était pas mon truc. Ce n'est pas de ta faute. Il a fallu une espèce de miracle pour me débloquer. Et puis, je suis désolée, mais, vraiment... c'est pour ton bien que je te dis tout ça. Tu devrais prendre exemple sur moi. Tu devrais sortir un peu, tu vis comme un ermite! Tu veux un peu de muffin? C'est vraiment trop pour moi.

Je fis signe que non.

— Mais, c'est vrai, tu devrais m'écouter. Je suis certaine que tu ne vois personne. Tu as vraiment besoin d'une bonne baise, ça se voit au premier coup d'œil ! Secoue-toi un peu ! Il y a des tas de filles qui ne demandent que ça, une petite aventure d'un soir.

Évidemment, le grand amour, c'était pour elle. Je devais me cantonner aux aventures d'un soir. Véronique avait toujours eu un sens de l'équité assez particulier. Elle était intarissable :

— Il suffirait que tu t'arranges un peu mieux. Tu dois porter ce pantalon depuis dix ans, il est tout élimé... Ça te donne un air d'itinérant, pas très gagnant ! Et puis, franchement, un peu de tonus, un peu de muscle, ça ne te ferait pas de tort non plus. Il suffit de quelques heures par semaine au gym, ce n'est pas la mer à boire. Je te dis ça pour ton bien, tu comprends, et je parle en connaissance de cause : Luc... on dirait qu'il est fait en granit tellement il est musclé ! Crois-moi, ça fait toute une différence, surtout dans ce genre de situation, si tu vois ce que je veux dire...

C'était du sadisme, purement et simplement. Je n'aurais pu dire si elle s'en rendait vraiment compte ou pas, mais elle touchait une corde extrêmement sensible. J'avais toujours eu de vagues inquiétudes quant à son degré de satisfaction sexuelle à l'intérieur de notre couple. Nous n'en parlions pas beaucoup, pas du tout, à vrai dire. Je n'avais pas l'impression d'être un amant particulièrement doué, c'était une angoisse qui avait peut-être un certain impact sur notre rapport de force, dans la vie de tous les jours. Le sentiment que j'avais de ne pas être à la hauteur, sexuellement, me rendait certainement un brin plus docile pour tout le reste. Quoi qu'il en soit, aussi blessante que pussent être les paroles de Véronique, ce n'était pas le moment de me laisser anéantir. J'étais venu pour régler des comptes, pas pour attiser les rancunes. Je coupai son élan :

— Merci, Véronique, j'apprécie beaucoup ton empathie, mais j'ai une journée chargée devant moi, je vais devoir filer. En fait, je suis passé simplement pour te remettre les vingt dollars que tu m'as prêtés.

Je lui tendis l'argent. Elle fit un air surpris et refusa de prendre le billet.

— Mais… dit-elle, tu es sûr ? Il n'y a rien qui presse, ça va, de mon côté, en ce moment, tu peux le garder le temps qu'il faut. Tu me le remettras plus tard, quand tes affaires iront tout à fait bien. Je ne suis quand même pas une banque, je ne vais pas te charger d'intérêts !

Je m'attendais à ce genre de réaction : elle sentait bien que j'étais en train de couper les ponts. Elle avait peur. C'était assez plaisant de la voir tout à coup sur la défensive.

— Non, repris-je, garde-le. Je t'assure.

Je mis le billet sur le comptoir. Véronique n'y toucha toujours pas. J'enchaînai tout de suite, conscient de mon effet, de la tournure dramatique que j'étais subtilement en train de donner à cette rencontre.

— Allez, j'y vais. Au plaisir de te recroiser.

Elle était bouche bée, j'avais ébranlé ses bases. Je m'approchai pour l'embrasser sur les joues, elle recula.

— Attends, dit-elle, pendant que je t'ai : qu'est-ce que tu fais samedi soir ? Je pense qu'il est grand temps que toi et Luc vous rencontriez. Tu pourrais venir souper avec nous, qu'est-ce que tu en dis ?

Elle jetait ses dernières cartes, elle paniquait. À ce moment, j'eus envie de lui lancer ses quatre vérités au visage, de lui dire qu'elle était profondément égoïste, presque méchante. J'eus envie de lui dire à quel point l'idée que je me faisais d'elle avait changé depuis la rupture, à quel point je l'avais vue comme un ange de perfection pendant six ans, à quel point cette image s'était érodée dans mon esprit. Et je ne m'étais jamais véritablement avoué tout cela jusqu'alors. C'étaient des pensées que j'avais refoulées tant bien que mal. Il avait fallu cette rencontre, ses vingt dollars, ses attaques sadiques et sa soudaine vulnérabilité.

Je renonçai pourtant à me lancer dans les récriminations. Je sentis qu'il était temps de me retirer, que les comptes étaient réglés.

— Je ne crois pas que ce soit une bonne idée, dis-je en souriant mélancoliquement.

Je l'embrassai. Elle ne put se défiler.

— Ben là, tenta-t-elle encore, qu'est-ce que t'as? Comment ça, « pas une bonne idée » ? T'es bizarre ! Tout va bien ? T'es sûr ?

Je me fis aussi rassurant que possible, au risque bien assumé de sonner un peu faux :

— Je vais très bien, je t'assure. Je fais des progrès, j'avance, je passe à autre chose... comme toi !

Je franchis les quelques mètres qui me séparaient de la porte. Véronique s'apprêtait à dire quelque chose mais je ne lui en laissai pas le temps.

— Salut ! envoyai-je en ouvrant la porte.

Je n'entendis pas sa réponse.

*

En marchant sur la rue Notre-Dame, en direction de chez moi, j'étais porté par un profond sentiment de puissance. J'avais l'impression d'avoir repris le contrôle. C'était un peu similaire à ce qu'on ressent en tenant la partie de caisse claire du *Boléro* de Ravel : on se sent au centre de tout, on a l'univers au bout des doigts. Cette attitude que j'avais prise avec Véronique, bien plus que la dette que j'avais réglée, était tout à fait nouvelle et parfaitement inattendue. J'avais renversé la vapeur, franchi le cap de l'irrémédiable. Dorénavant, j'en étais certain, le triangle ne pourrait plus me résister, tout irait pour le mieux. Je marchais à toute vitesse, je courais presque, tellement j'étais impatient de me mesurer à nouveau à ce ridicule bout de métal tordu qui attendait son heure, suspendu à mon lutrin. C'était à peine si je sentais, sous cette assurance et cette force momentanées, la petite blessure encore vive que m'avait infligée Véronique avec ses histoires de baise.

À un pâté de maisons de chez moi, je dus m'arrêter à un feu rouge. En regardant distraitement de l'autre côté de la rue, impatient de traverser, je fus frappé par la silhouette d'une jeune fille qui attendait, elle aussi, sur le trottoir d'en face. Elle peinait à porter une grande boîte verte qui semblait très lourde, très encombrante. Il me sembla connaître cette fille, et même la connaître très bien, mais, curieusement, je ne parvenais pas à l'identifier vraiment. C'est lorsqu'elle leva la tête et regarda dans ma direction que je la reconnus : c'était la jolie fille que j'avais croisée sous l'orage, la veille, à Sorel. Cela me fit un drôle d'effet de la revoir là, comme si j'étais passé dans un autre espace-temps, tellement son image était associée, dans mon esprit, au fleuve, à la pluie. Elle était aussi jolie que la veille. Plus, peut-être. Je compris tout de suite que, cette fois-ci, il faudrait que je lui parle. J'avais été vraiment trop bête de laisser passer ma chance, la veille, et on ne répète pas ce genre de bêtise, surtout pas du jour au lendemain.

Le feu passa au vert. Ce n'était pas le moment de tergiverser. Elle s'engagea dans la rue. Si je traversais maintenant moi aussi, je la rencontrerais au milieu de la rue, ce que je préférais éviter. Je restai donc là à l'attendre, bêtement. Vingt secondes, au maximum, pour élaborer un plan. Elle regardait devant elle, donc vers moi, mais ne semblait pas me voir. Elle avait un air distrait, préoccupé. Toute son attention était accaparée par la boîte qu'elle transportait et qui lui glissait un peu des mains, me sembla-t-il. Cette boîte était ma seule piste, le seul fil sur lequel je pouvais tirer. La boîte et la coïncidence qui nous réunissait à nouveau : c'était mince, elle allait me prendre pour un cinglé.

À cinq mètres du trottoir, son regard glissa sur moi sans s'arrêter. Elle ne m'avait pas reconnu. Je la fixai, dans l'espoir d'attirer son attention, sans succès. Dans un élan de courage, avec une pensée pour ma virilité à reconstruire, pour les conseils de Deléglise et pour mon satané triangle, je me plaçai carrément sur son chemin. Elle s'arrêta, surprise, fronça les sourcils, me regarda, sembla me replacer.

— Tiens, bonjour ! dis-je en m'efforçant de paraître aussi naturel que possible. On s'est vus hier… à Sorel… vous vous souvenez ?

Elle était un peu contrariée.

— Ah oui, dit-elle, je me souviens.

Elle allait me contourner pour continuer son chemin, sans plus de cérémonies, mais je tendis les bras pour prendre la boîte, en tentant de rendre mon geste le moins agressant possible. Il n'était surtout pas question de l'effrayer.

— Laissez-moi vous aider, ça a l'air lourd. Vous allez loin ?

Apparemment décontenancée, elle me laissa m'avancer et placer doucement les mains sur les côtés de la boîte, mais elle ne la lâcha pas.

— Non, non, protesta-t-elle, ce n'est pas lourd du tout… et je suis presque arrivée.

Si je lâche cette boîte, pensai-je, j'aurai encore une fois laissé passer ma chance. Je m'y accrochai donc.

— Vous n'allez pas loin, renchéris-je, raison de plus pour me laisser vous aider !

Nous restâmes ainsi pendant quelques secondes, ne voulant ni l'un ni l'autre lâcher prise. C'était ridicule. Le bon sens me commandait de laisser tomber, mais un mot s'était mis à résonner dans ma tête, comme un mantra, me donnant des forces : irrémédiable, irrémédiable, irrémédiable. Cette deuxième rencontre n'était-elle pas, après tout, un signe du destin ? N'était-on pas en train de me pousser à me commettre, à faire un geste irrémédiable ? Oui, c'est ainsi que je le sentais : cette jeune fille, rue Notre-Dame, était l'appel de l'irrémédiable, et je devais répondre à l'appel, je n'avais pas le choix.

Je pris un air gentil et inoffensif :

— Je m'appelle Louis, j'habite juste là, au-dessus du salon de coiffure.

Je lui montrai l'endroit du doigt. Elle fit un premier geste de collaboration et se retourna pour voir le lieu que j'indiquais. Spontanément, je ne ressentais pas d'hostilité de sa part. Un léger agacement, peut-être, mais pas d'hostilité.

Elle me regarda à nouveau pendant quelques instants.

— Bon, finit-elle par laisser tomber, si tu y tiens. Je suppose qu'il faut encourager la galanterie, mais tu vas être déçu, ça ne pèse rien, cette boîte, elle est vide.

Elle me laissa la boîte et je constatai, à ma grande surprise, qu'elle était effectivement vide. J'avais donc pris mes désirs pour des réalités en croyant voir la jeune fille peiner à la transporter : il n'y avait vraiment là rien de bien pénible, elle était seulement un tout petit peu encombrante.

Nous marchâmes un moment en silence. Curieusement, ce silence ne me pesait pas, je n'avais pas envie de le rompre, j'y voyais une forme de complicité. Et puis, je savourais ce que je considérais déjà comme une victoire, j'avais lié connaissance avec elle, un peu superficiellement, mais tout de même. Maintenant, il fallait aller plus loin. Je ne me demandais pas pourquoi, il le fallait, tout simplement. J'avais envie de connaître cette fille, et cela, pour des raisons qui, je crois, dépassaient largement le cadre de cette « entreprise de l'irrémédiable » dans laquelle je m'étais engagé. En fait, la proximité physique avec elle était franchement grisante, j'avais l'impression que quelque chose se mettait à circuler entre nous. Notre silence y était certainement pour quelque chose, n'est-ce pas toujours en silence, et dans le silence, que naissent les sentiments ?

C'est elle qui brisa ce silence :

— Je m'appelle Justine.

C'était inattendu. Son ton était presque cordial.

— Enchanté, dis-je en inclinant la tête, à défaut de pouvoir lui tendre la main.

Elle me mena, par quelques rues étroites que je n'avais jamais empruntées, à un ancien immeuble industriel qui avait visiblement été retapé récemment.

— J'habite ici, dit-elle.

Je n'aurais pas soupçonné que des gens vivaient dans cet édifice. Il n'y avait pas de balcons, souvent pas de rideaux aux fenêtres, l'entrée était parfaitement anonyme. J'allais lui rendre la boîte, à contrecœur, mais elle ne semblait pas pressée de la reprendre. Au contraire, elle ajouta :

— Viens, si tu as quelques minutes, tu vas pouvoir m'aider. Pour vrai, cette fois-ci.

Je ne me fis pas prier.

Elle habitait au dernier étage de l'immeuble. Lorsqu'elle ouvrit la lourde porte métallique de l'appartement, j'eus le souffle coupé : c'était immense, le genre d'endroit qu'on ne voit que dans les films, loft new-yorkais, meublé avec un luxe consommé. La porte d'entrée ouvrait sur une pièce qui devait bien occuper la moitié de l'étage. Il y régnait un certain désordre qui n'annulait en rien l'effet des armoires, bibliothèques, tables, poufs, fauteuils et tapis d'apparence précieuse, et des étranges statues, ressemblant un peu à des sculptures de Biron, qui attiraient le regard. J'étais subjugué. Qu'est-ce que tout cela signifiait? Qui était cette fille? Habitait-elle vraiment là? Tout à coup, elle prenait une nouvelle allure pour moi. Elle s'éloignait. Je réalisais ce qui aurait pourtant dû être une évidence, cette fille m'était parfaitement étrangère. J'aurais voulu dire quelque chose, l'interroger, mais les mots me restèrent dans la gorge.

Justine ne se formalisa pas de l'air étrange que je devais avoir. Elle me demanda de déposer la boîte près de l'entrée, referma la porte derrière nous. Elle enleva le couvercle de la boîte, confirmant ainsi qu'il n'y avait rien à l'intérieur. Sur le même mur que la porte d'entrée se trouvait une seconde porte, plus étroite, menant apparemment à un placard. Justine y entra, puis en sortit, quelques secondes plus tard, avec une couverture de laine à motifs amérindiens qu'elle déplia et plaça dans la boîte, de façon à en couvrir le fond et les parois. Elle me demanda de la suivre dans le placard, qui était de la taille de ma chambre à coucher. Tout au fond, elle déplaça du pied une pile de vêtements et me montra un gros objet, une espèce de statue.

— Tiens, dit-elle, prends ton bout. C'est lourd.

En m'approchant, je constatai que l'objet était en fait un hibou en métal couleur or. C'était joli, un peu enfantin, à la manière d'un totem. Nous soulevâmes le hibou, qui s'avéra être effectivement très lourd, le sortîmes du placard et le plaçâmes dans la boîte, sur la couverture. Justine referma le couvercle.

— Tu m'attends un peu? demanda-t-elle. Je vais appeler un taxi.

Elle s'éloigna jusqu'à un téléphone qui se trouvait sur une table basse, au fond de la pièce. Je la regardai. Je n'avais plus devant moi la jeune fille de Sorel que j'avais cru rencontrer, mais sa beauté était toujours aussi magnétique. À vrai dire, elle l'était de plus en plus. En l'espace de quelques minutes, mon état d'esprit avait changé du tout au tout. Mon sentiment de toute-puissance s'était évaporé, j'étais maintenant à la merci de cette fille. Je n'avais pratiquement pas ouvert la bouche depuis que nous étions arrivés là, j'étais dépassé par les événements.

Tout se passa ensuite très vite. Justine raccrocha le combiné, revint vers moi, me demanda de prendre un côté de la boîte. Nous sortîmes, prîmes l'ascenseur, qui avait plutôt l'allure d'un monte-charge, et nous nous retrouvâmes dehors, devant l'immeuble. Le taxi arriva presque aussitôt. Avec l'aide du chauffeur, je plaçai la boîte dans le coffre. Justine me remercia et me tendit la main.

— Au plaisir de te recroiser dans le quartier, dit-elle.

Elle monta dans le taxi, qui démarra et partit.

Je restai là, Gros-Jean comme devant. J'avais raté ma chance, encore une fois. Bien sûr, je pourrais la rencontrer par hasard à nouveau, et je savais où elle habitait, mais ce n'était vraiment pas de ce type de vagues espérances que j'avais besoin. Il ne s'était rien passé d'irrémédiable avec Justine, je n'avais fait qu'ajouter à mon répertoire une nouvelle source de cogitation et d'angoisse : ce n'était pas ce qu'on appelait « faire le ménage dans sa vie », pas du tout. J'étais de retour à la case départ.

Je regrettais d'avoir tenté le coup. Je l'avais fait par bravade, pour prouver que j'étais capable de prendre des risques. Cette jeune fille m'avait paru simple, inoffensive, jolie : un sujet d'expérimentation parfait. J'avais été attiré par elle avant de savoir le premier mot de sa vie, avant même qu'elle m'eût dit son nom. Mon imagination s'était emballée, avait peint, comme bon lui semblait, un portrait de cette fille, sans tenir compte de la réalité. Mais tout s'était effondré aussitôt qu'elle m'avait dévoilé un tout petit pan de sa vie, à savoir, son appartement. En fait, c'était mon assurance et mes certitudes qui s'étaient effondrées, l'attirance, elle, était restée intacte, avait peut-être même pris de la vigueur. Et, maintenant, j'étais sans doute tout bonnement amoureux de cette Justine. Non, vraiment, je n'avais rien réglé avec ma fanfaronnade, je m'étais plutôt créé un nouveau problème, peut-être un problème irrémédiable.

Je rentrai chez moi pour affronter encore une fois le triangle, que pouvais-je faire d'autre ? Malheureusement, j'avais l'esprit si peu tranquille que je craignais fort que ce ne fût un combat perdu d'avance.

JUSTINE BIRON

J'ai appelé Georges dans la matinée. Je l'ai eu au bout du fil tout de suite, sans avoir été mise en attente, sans avoir eu à passer par ses multiples associés et secrétaires.

— Ma petite Justine, comment vas-tu ? lança-t-il de sa profonde voix de basse.

Georges faisait pratiquement partie de la famille. Aussi loin que je puisse me souvenir, il avait été dans le décor. Maman aimait bien raconter qu'il m'avait même changé de couche, une fois : un spectacle mémorable. Il avait été très proche de mon père, quoique j'eusse réalisé, avec le temps, que leurs rapports étaient complexes et plus ambigus qu'il n'y paraissait. Ce n'était pas de la franche camaraderie, il y avait entre eux comme une tension sous-jacente, sans doute due au fait qu'ils étaient, après tout, des partenaires d'affaires. Dans ses dernières années, papa s'était mis à éviter Georges, à se plaindre de ses visites et de ses appels qui l'étouffaient, disait-il. Il faut dire que papa, à ce moment-là, ne voyait presque plus personne, il vivait entouré de bouteilles d'alcool et d'animaux métalliques plus grands que nature.

Depuis plus de trente ans, Georges s'occupait de la vente des œuvres de papa. C'était l'un des principaux encanteurs du pays et il s'intéressait surtout à l'art contemporain. En fait, la nature exacte de son « intérêt » pour les œuvres avait toujours été pour moi un sujet d'interrogation. Un intérêt financier, c'était évident, mais pour le reste, c'était difficile à dire.

Je restai assez vague avec lui au téléphone. Je me contentai de solliciter un rendez-vous, le jour même, si possible. Il parut embarrassé.

— Alors… c'est une question urgente? demanda-t-il.

— Oui. Quelque chose que je dois régler au plus vite, répondis-je de façon assez ferme.

Je ne voulais pas laisser prise à un interrogatoire, surtout pas au téléphone.

— Tu es bien mystérieuse!

Il se laissa néanmoins convaincre sans trop de difficulté et me demanda de passer le voir vers midi. Je ne savais pas encore ce que je lui dirais au juste, mais je préférais ne pas y penser pour le moment, j'avais encore un peu de temps devant moi. Dans l'immédiat, il importait surtout de trouver une façon de transporter le hibou jusqu'au bureau de Georges. Étant donné son poids, j'avais peur de le laisser tomber sur le trottoir, ce qui pourrait être catastrophique, s'il n'était pas protégé d'une manière ou d'une autre. Et puis, il fallait être discrète en transportant ce genre d'objet, la sculpture devait être emballée. J'avais bien quelques boîtes de transport, mais aucune qui fût de la taille du hibou. Je me mis donc en route pour la quincaillerie.

C'était un endroit que j'aimais bien, cette quincaillerie de la rue Notre-Dame : un dédale d'allées étroites bordées de hautes étagères remplies d'objets en tous genres et de toutes tailles, objets dont la fonction m'échappait plus souvent qu'autrement. Elle semblait sortie d'un autre âge tellement y manquaient les articles d'usage courant, décorations, vaisselle, plantes, etc., auxquels s'étaient depuis longtemps converties la plupart des autres quincailleries. Plus anachronique encore était la surabondance de personnel qu'on retrouvait dans ce commerce. Derrière chaque comptoir, au détour de chaque allée, se tenaient des employés, souvent en grappes de deux ou de trois, souriants et prêts à rendre service. Tous des hommes, certains ayant sans doute tout juste l'âge légal pour être embauchés, d'autres ayant visiblement dépassé l'âge de la retraite, et de toutes les catégories d'âge intermédiaires, ces employés m'étaient vraiment très sympathiques. Ils semblaient tous satisfaits de leur boulot, une satisfaction qui n'était ni exubérante, ni arrogante, mais tranquille, sereine. Je m'étais souvent fait la réflexion que je pourrais sans doute trouver l'âme sœur parmi ces hommes, si je décidais un jour que le bonheur amoureux méritait bien quelques compromis.

Je fus assaillie dès mon entrée dans la quincaillerie. Ils avaient beau être adorables, ces employés étaient malgré tout passablement machos. Ils semblaient considérer qu'une femme seule dans leur établissement ne pouvait être qu'une femme en détresse.

— J'ai besoin d'une boîte, une boîte solide, grande comme ça, dis-je en mimant la taille de la boîte, ce qui fit rire les trois messieurs que j'avais devant moi.

On me dirigea vers l'arrière du magasin, où deux autres employés prirent le relais des trois premiers. Je réexpliquai, remimai. Les deux hommes, un vieux et un jeune, trouvèrent eux aussi mes gestes amusants et ne purent s'empêcher de sourire, malgré mon air sérieux.

— Une boîte? Oui, très bien, on a sûrement ce qu'il vous faut. Je m'en occupe, dit le jeune homme, faisant signe à son collègue de disposer.

Il me demanda de le suivre et me fit parcourir quelques allées jusqu'à ce que nous arrivions face à un étalage de caissons. Le jeune homme s'employa à étaler devant moi, sur le plancher, toutes les boîtes qui, à son avis, pouvaient convenir. Les jambes écartées, les poings sur les hanches, il avait de toute évidence décidé de prendre mes besoins au sérieux... et de m'impressionner un peu au passage, si possible.

Il m'exposa de long en large les avantages et les inconvénients de chacune des boîtes. Je me décidai pour une boîte de plastique vert, robuste et légère.

— Un bon choix, mademoiselle. On voit que vous avez l'œil !

Le jeune homme prit la boîte et je le suivis à nouveau à travers les allées. De retour à l'entrée du magasin, il passa ma boîte au vieil homme qui tenait la caisse, probablement le doyen de la quincaillerie. Puis il se tourna vers moi et me regarda au fond des yeux :

— Ce fut un plaisir de vous servir. Si vous avez besoin de quelque chose, revenez me voir. Je m'appelle Louis. Et si vous n'avez besoin de rien, venez me voir quand même, on pourra faire connaissance.

Était-il aussi courtois avec toutes les clientes ? Probablement. Quoi qu'il en soit, cela me faisait du bien : il était si rare qu'on me fît la cour aussi naturellement, sans arrière-pensée. Je le remerciai en riant un peu et il se retira vers l'arrière du magasin. Je réglai mon achat.

En me retrouvant rue Notre-Dame, chargée de ma grande boîte verte, la réalité de ce que j'étais en train d'entreprendre m'apparut tout à coup plus clairement que jamais auparavant. J'avais acheté une boîte pour transporter le hibou. J'avais pris rendez-vous avec Georges. J'allais lui demander de mettre en vente la sculpture, ce qui anéantirait la bonne entente avec ma mère. J'allais obtenir mon indépendance. De force.

Pour la première fois, je fus prise d'un doute. N'allais-je pas fléchir ? Il y avait quelque chose de terrible, ne serait-ce qu'à vouloir mettre ce hibou en boîte. J'aurais besoin de tout mon courage. D'autant plus que rien ne me forçait à aller jusqu'au bout de mon plan : je pouvais abandonner à tout moment. Il ne fallait donc surtout pas douter, je devais éviter de me poser des questions.

Mes réflexions furent brusquement interrompues. Un jeune homme s'était ostensiblement mis sur mon chemin, armé d'un sourire un peu inquiétant, énigmatique. Il me barrait le trottoir. Un vieil ami oublié ? Non, probablement pas, quoique sa tête m'ait vaguement dit quelque chose.

— Bonjour ! dit-il, on s'est vus hier, à Sorel.

Oui, en effet, c'était là que je l'avais vu. Mais que pouvait-il bien me vouloir ? Je fus ensuite totalement prise de court : il fit un pas vers moi et tenta carrément de me prendre la boîte, en me demandant de le laisser m'aider. J'eus besoin de plusieurs secondes pour réaliser qu'il voulait effectivement m'aider, que ce n'était pas une « attaque ». Mais quelle façon cavalière d'offrir son aide ! D'autant plus que la personne à qui il l'offrait n'en avait nullement besoin, ma boîte ne pesait rien ! Je ne la lâchai pas et lui dis que je n'avais pas besoin d'aide.

C'est alors que, de façon assez maladroite et, au fond, assez comique, il se présenta :

— Je m'appelle Louis, j'habite juste là, au-dessus du salon de coiffure.

Il s'appelait Louis. Comme le garçon de la quincaillerie. Sur le coup, cela me sembla incroyable, beaucoup plus incroyable que ce ne l'était en réalité. Il se produisit en mon esprit un étrange processus, presque alchimique. Les deux Louis s'amalgamèrent. Inconsciemment, je mis à l'actif de ce second Louis la courtoisie du premier. Difficile à expliquer vraiment, mais à cause de son prénom, ce garçon me devint sympathique et je décidai de lui donner le bénéfice du doute.

Je lui laissai la boîte. Après tout, il allait m'être utile, il pourrait m'aider à mettre le hibou dans la boîte et à transporter celle-ci au moins jusqu'à la voiture. Et il m'éviterait de trop me poser de questions…

Nous marchâmes en silence pendant un bon moment, mais je sentais qu'il attendait que je dise quelque chose. Le silence se fit de plus en plus lourd, jusqu'à devenir insupportable.

— Je m'appelle Justine, finis-je par dire, à défaut d'avoir pu trouver autre chose.

Il était enchanté. Visiblement, il n'avait nullement l'intention de me faire la conversation. Quel garçon étrange ! Était-ce là sa façon de courtiser une inconnue ? Je le regardai du coin de l'œil. Il souriait, presque béatement, mais ce sourire avait quelque chose de figé, de faux. En fait, il avait l'air tendu. Lui faisais-je peur ? Et si c'était le cas, pourquoi m'avoir abordé de cette façon ? Il y avait une contradiction, quelque chose qui n'allait pas. Je renonçai à comprendre, mais conclus malgré tout qu'il n'avait pas l'habitude de faire ce genre de choses. Et, je dois bien l'admettre, je me sentis flattée.

Nous arrivâmes chez moi. Je le fis monter. C'était un peu imprudent d'emmener un inconnu chez moi, mais comment avoir peur de ce garçon ? Il n'avait vraiment rien d'un cambrioleur. Mon appartement lui fit un certain effet qu'il tenta, bien sûr, de cacher. Mais en refermant la porte, après l'avoir fait entrer, je vis bien que son regard parcourait la pièce comme un oiseau affolé. Il scruta les quelques sculptures de papa qui se trouvaient là avec surprise et même une certaine incrédulité, me sembla-t-il. S'il reconnut les sculptures, il n'en dit rien. D'ailleurs, durant les cinq ou six minutes qu'il passa dans mon appartement, pratiquement pas un son ne sortit de sa bouche. Sa timidité était sympathique, même attendrissante. J'eus l'idée de lui offrir une tasse de thé mais y renonçai presque aussitôt : l'heure de mon rendez-vous avec Georges approchait et je ne voulais pas me laisser le temps de réfléchir, il fallait préserver ma détermination.

Je mis donc ce Louis à contribution. Il m'aida à placer le hibou dans sa boîte. Il m'attendit dans l'entrée tandis que j'appelais un taxi. Le taxi, qui me déposerait devant l'édifice de Georges, m'éviterait d'avoir à porter la boîte sur une trop grande distance. Et, de toute façon, je n'avais pas l'habitude d'utiliser ma voiture en ville, c'était plus encombrant qu'autre chose. Sans broncher, Louis m'aida ensuite à transporter la boîte en bas. Dans le monte-charge, je vis qu'il commençait à se réveiller. Il voulait dire quelque chose, c'était visible, quelque chose qui donnerait un sens à son comportement étrange. Après tout, il n'avait certainement pas fait tout cela pour rien, il devait bien avoir une idée derrière la tête. À moins que... à moins qu'il n'ait vraiment cru que j'avais besoin d'aide avec ma boîte et qu'il n'ait simplement voulu m'aider, sans arrière-pensée. Pourquoi pas ?

Quoi qu'il en soit, s'il voulut me dire quelque chose dans le monte-charge, il n'en fit rien et se contenta de s'éclaircir la gorge bruyamment à quatre reprises. La voiture arriva tandis que nous descendions les trois marches qui menaient au trottoir. Puis je me surpris à espérer que Louis finisse par lâcher le morceau, qu'il me propose un rendez-vous, qu'il me donne son numéro de téléphone, qu'il me demande le mien, n'importe quoi... Mais il ne dit rien, il resta planté là comme une statue de sel. J'aurais pourtant été prête à le revoir. Je m'en rendais compte alors que cette rencontre prenait fin : sa simplicité un peu énigmatique ne me déplaisait pas, elle avait, paradoxalement, quelque chose de rassurant. Oui, j'aurais peut-être donné une chance à ce garçon, et il y avait fort longtemps que je ne m'étais montrée ouverte à un prétendant. Mais Louis ne dit rien. Il se contenta de répondre à mon au revoir. Dommage.

*

Après avoir, à grand peine, traîné la boîte du taxi à la porte de l'immeuble, puis jusqu'à l'ascenseur, je me retrouvai dans la salle d'attente de la firme de Georges. La secrétaire me dit que Georges serait disponible dans quelques instants. La salle d'attente communiquait avec une petite salle d'exposition dont je fis le tour lentement. J'étais seule. Il y avait là quelques classiques de l'art moderne québécois : une cible de Tousignant, deux sérigraphies de Riopelle, un Borduas de la période parisienne, et deux petites sculptures de mon père. Je m'arrêtai devant celles-ci, qui étaient placées côte à côte, au centre de la salle.

La première datait de plusieurs décennies. C'était un petit cube de granit d'environ un décimètre de côté. Une mince tige métallique le soutenait à un centimètre ou deux au-dessus de la surface du présentoir. Cette tige, placée sous le cube, était pratiquement invisible, ce qui donnait l'impression que l'objet flottait dans l'air. Cette impression était profondément dérangeante, il était difficile de quitter le cube des yeux.

La deuxième sculpture datait de la dernière période. Elle avait été conçue deux ans après mon hibou. C'était un écureuil en argent massif, légèrement plus grand que ne pourrait l'être un véritable écureuil. Cette différence de taille créait immanquablement un malaise, un peu comme ces poissons mutants qui naissent avec trois yeux ou deux bouches. La pose de l'animal n'était pas classique : il n'était pas dressé sur ses pattes de derrière à grignoter un gland. Il était à quatre pattes, en position de marche, mais regardait derrière lui. Ce regard était anormal, étrangement intelligent, presque humain. On y sentait une inquiétude que l'immobilité de la sculpture tempérait, une inquiétude pensive. Et il était impossible de dire si l'animal marchait ou s'il s'était immobilisé pour regarder derrière lui. Il y avait là une sorte d'énigme qui poussait à la contemplation.

Si la pose de l'écureuil n'était pas classique, il était cependant difficile de nier que l'œuvre fût imprégnée d'un certain classicisme. D'avoir mis ces deux sculptures côte à côte produisait un effet assez frappant. Il était presque incroyable qu'un même artiste soit passé d'un modernisme si intransigeant à une vision de l'art au fond si traditionnelle. Mais que s'était-il donc passé ?

Il faut dire que mon père n'est pas le seul artiste à avoir vécu ce type de transformation. C'est même un phénomène assez typique : les artistes vieillissants se replient souvent sur la tradition, l'artisanat, le savoir-faire, comme les écrivains parlent de leur enfance, de leur mère, dans leurs œuvres ultimes. Peut-être est-ce une façon de boucler la boucle de l'existence. Mais comment juger ces retours, ces repliements ? Et, plus précisément, comment ne pas y lire l'aveu d'un échec ? De voir un artiste renier sur le tard les valeurs sur lesquelles a reposé toute son œuvre est troublant et attristant. On y voit tout de suite un signe de sénilité qui inspire de la pitié et, souvent, du mépris.

Je n'avais jamais vraiment approuvé ce virage dans l'œuvre de mon père. À vrai dire, cette décision qu'il avait prise, ou cet ensemble de décisions, me dépassait tout simplement. Il avait eu une intuition, une intuition artistique, à laquelle je n'avais pas accès. Malgré cela, je sentais bien que ce virage avait été pour lui une question de survie. Au début des années quatre-vingt, les critiques avaient commencé à parler de son œuvre comme d'un ensemble monolithique, homogène et clos. On avait voulu lui assigner sa place dans l'histoire, faire de lui une sorte de fossile. Mon père avait probablement eu l'impression qu'on essayait de l'enterrer vivant. Ce retour au figuratif, changement de cap on ne peut plus brutal et presque caricatural, avait été un réflexe de survie. C'était un appel, un cri : je suis vivant ! Et c'était un acte de provocation, un coup de théâtre.

Papa ne s'était pas trompé. Par cet acte, André Biron avait, en quelque sorte, ressuscité. Mais, pour ma part, je ne pouvais m'empêcher de me demander s'il n'aurait pas pu, ou s'il n'aurait pas dû, trouver autre chose. Pourquoi ce revirement total ? Avait-il donc cessé de croire au progrès ? Il s'était tout à coup mis à produire des œuvres qui étaient *belles*, au sens traditionnel du terme, un concept qu'il avait jusqu'alors toujours tenu à l'écart. Les critiques s'étaient entendus pour dire qu'il avait ainsi réintégré le cours de l'histoire, qu'il s'était replacé à l'avant-garde. Mais être à l'avant-garde d'une époque fondamentalement réactionnaire, était-ce vraiment avant-gardiste ? J'étais peut-être impliquée de trop près pour pouvoir vraiment juger. On ne peut voir les choses que de l'extérieur, dit-on...

La secrétaire m'invita à passer dans le bureau de Georges. Je lui demandai son aide pour transporter la boîte.

— Ma petite Justine, que m'apportes-tu là ? demanda Georges lorsque nous fûmes seuls dans son bureau. Cette boîte m'a bien l'air d'avoir un poids bironnesque !

Je souris.

— Oui, c'est lourd, malgré ma force bironnesque !

J'ouvris la boîte. Georges s'approcha en passant de l'autre côté de son bureau. Le contenu de la boîte ne sembla pas le surprendre le moins du monde.

— Tiens, dit-il, le *Hibou.* Ça, c'était du bon travail, pas vrai? On peut dire qu'il savait y faire, ce vieux chenapan d'André.

Je hochai la tête. Sa désinvolture me déconcertait un peu.

— On le sort? demanda-t-il.

Je l'aidai à placer la sculpture sur son bureau. Le hibou sembla tout de suite à l'aise dans ce nouvel environnement. La lumière vive de midi qui entrait à flots par les deux grandes fenêtres du bureau se reflétait sur son plumage doré, lui donnant assez fière allure.

Sans doute par habitude, Georges sortit une loupe d'un tiroir et se mit à examiner la sculpture. Il fit quelques commentaires sur le bon état de la «pièce», pas d'éraflures, pas d'oxydation. Tandis qu'il procédait à cet examen, il me demanda également de mes nouvelles et s'informa de l'avancée des affaires, surtout en ce qui concernait la succession. Je restai évasive, ce qui ne l'encouragea pas à me questionner plus avant.

Il reposa sa loupe et recula de deux pas, comme pour contempler l'oiseau. En fait, il attendait probablement que je m'explique. Plutôt qu'un ami dévoué, j'avais devant moi un homme d'affaires dont les intérêts financiers passaient avant tout. C'est ce qui transparaissait de son attitude, de son regard. Je me fis la réflexion qu'il ressemblait un peu au hibou: un prédateur au repos.

Voyant que je ne disais rien, Georges me fit asseoir et reprit sa place derrière son bureau. Je me décidai et allai droit au but:

— Je dois le vendre.

Il hocha la tête et prit machinalement un stylo qui se trouvait à portée de main, sur son bureau.

— Il est à toi, c'est ça? demanda-t-il.

— Oui, c'était un cadeau de papa.

Il se mit à faire tourner le stylo entre ses doigts. L'image même d'un banquier.

— Tu me connais, reprit-il, tu sais que je suis un homme discret. Je ne te poserai pas de questions. Mais tu dois comprendre que ce que tu me demandes là n'a rien d'anodin.

— Oui, bien sûr, ce n'est pas anodin.

Je sentis bien que je devrais tôt ou tard lui exposer mes motivations, mais je voulus d'abord voir sa réaction, entendre ce qu'il proposerait.

— Ma petite Justine, je ne te mentirai pas: le moment est mal choisi, bien mal choisi. Je peux bien sûr mettre cette pièce en vente, et on en aura un bon prix, pas de doute possible. Mais, tu sais, avec votre histoire de succession, cet embargo, vendre la seule œuvre appartenant à la famille mais exclue du patrimoine... cela pourrait créer un effet de panique sur le marché. Difficile de prévoir l'impact que cela aurait sur la valeur de ton père, il faudrait que j'y pense, que je consulte quelques collègues. Mais ce qui est plus embêtant, c'est que cette vente pourrait complexifier sensiblement votre procès. N'oublie pas qu'on vous accuse d'être inaptes à gérer le patrimoine: tu risques de donner des munitions à la partie adverse. Et ne va pas croire que le marché est indifférent à votre querelle, au contraire, tout ce qui est dit sur Biron, sur les œuvres, sur la succession, a un impact sur la valeur des pièces. C'est vraiment un jeu très risqué... et c'est un bien mauvais moment, bien mauvais.

Ce discours semblait préparé d'avance. Je me dis qu'il n'avait probablement pas encore dit le fond de sa pensée. Je persévérai:

— Tu as raison et je comprends tout cela. Mais je me trouve dans une position difficile. Je n'ai pas vraiment le choix.

— Bon, fit-il d'un air contrit. Mais permets-moi de poser une petite question : qu'est-ce que ta mère en dit ?

Un peu malgré moi, je me durcis à cette soudaine apparition de ma mère dans le décor.

— Rien, Georges, et cela ne la regarde pas. Tu comprends ?

Il hocha la tête lentement et pensivement. Je n'avais sans doute pas besoin d'être plus explicite. Il déposa le stylo.

— Je vois, dit-il. Tu ne m'en voudras pas, j'espère, de te dire qu'à mon avis tu n'as pas une idée très claire des conséquences que ceci pourrait avoir. Mais il y a peut-être moyen d'éviter le pire en contournant, en quelque sorte, le problème.

Il laissa passer un temps avant de poursuivre.

— Je pourrais te proposer une manœuvre inhabituelle, disons… irrégulière, mais légale, bien sûr. Vois-tu, ce qu'il est peut-être préférable d'éviter, ce sont les enchères : trop bruyant, trop voyant. Mais on peut envisager de vendre la sculpture en toute discrétion, sans passer par la mise aux enchères. Une vente secrète, si tu veux. Le plus difficile, cependant, est de trouver l'acheteur. Il doit être absolument digne de confiance, il doit comprendre la valeur de l'œuvre et être prêt à en donner un bon prix, en argent comptant. Il doit aussi s'engager à ne pas la revendre tout de suite, au moins pas avant la fin de votre conflit.

Tandis qu'il parlait, il tentait de garder son regard rivé au mien, ce qui semblait lui demander un certain effort. Il avait l'air suspect et ce qu'il était en train de me proposer était, ni plus ni moins, une magouille.

— Je comprends, dis-je. As-tu quelqu'un en tête ?

Il se recula sur sa chaise.

— Je crois que je pourrais trouver quelqu'un, oui. Mais... j'ai peut-être été trop catégorique. Je ne veux pas te décourager complètement de la vente aux enchères. Cela reste une possibilité. Cela représente sans doute plus de soucis, mais tu obtiendras probablement un meilleur prix. C'est à toi de voir.

Il voulait se faire prier, j'insistai donc :

— Oui, il va falloir que j'y réfléchisse, c'est certain. Mais si tu as un acheteur potentiel, il faut le dire.

— Eh bien, dit-il, tu sais, j'ose me considérer presque comme un membre de votre famille. Tu sais comme ton père m'était cher. Ta mère et toi me l'êtes tout autant. Si, pour une raison ou pour une autre, tu te trouves dans une mauvaise passe, je considère qu'il est de mon devoir de t'aider à t'en sortir.

Il fit encore une pause, s'accouda à son bureau.

— Je ne suis pas milliardaire, poursuivit-il, et je ne suis pas vraiment collectionneur. Mais si tu crois que cela pourrait t'aider, si tu crois vraiment que tu n'as pas d'autre choix, je pourrais probablement t'acheter le *Hibou*.

Cette proposition était à ce point inattendue que j'eus le réflexe de le faire répéter :

— Tu veux dire... que l'acheteur, ce serait toi ?

— Oui, c'est ce que je te propose. Mais, comme je te l'ai dit, la vente aux enchères reste une possibilité. Je veux que tu prennes le temps d'y penser. Et, si tu veux bien, ne parlons pas d'argent aujourd'hui. Tu réfléchiras de ton côté, je vais réfléchir du mien, et on se reverra lorsque tu seras prête. Demain, si tu veux.

J'étais estomaquée. Cet homme était un requin. Son offre était plus mesquine que tout ce que j'aurais pu imaginer. Il n'avait pas tort pour ce qui était de la vente secrète : il était sans doute préférable de faire l'opération avec un maximum de discrétion. Mais de se proposer lui-même comme acheteur, lui sur qui je comptais justement pour me conseiller quant à la valeur de la sculpture, c'était malhonnête et perfide. Étais-je à ce point désespérée? Je me sentis incapable de répondre à cette question sur le coup.

— Oui... dis-je en cachant mal mon désarroi, je vais y penser. On se reverra demain, alors.

Georges se leva et passa de mon côté du bureau. Il regarda encore la sculpture pendant un moment.

— Si j'étais toi, dit-il sans me regarder, je ne me séparerais pas facilement de cet oiseau!

Je pensai qu'effectivement m'en séparer s'avérait moins facile que prévu. Je ne dis rien. Pour détendre l'atmosphère, il se mit à parler d'autre chose, de la semaine qu'il venait de passer à New York, de la rénovation du Ritz Carlton. Je ne l'écoutai que d'une oreille. Il me proposa finalement de garder le hibou jusqu'au lendemain, pour m'éviter des maux de dos. J'acceptai, quoique avec un léger pincement au cœur: je n'étais plus tout à fait certaine de pouvoir lui faire confiance. Il m'embrassa, m'accompagna jusqu'à l'ascenseur.

Je me retrouvai dehors, ébranlée et indécise. Entre jouer le jeu de ce faux ami et renoncer à mon indépendance, le choix n'était pas évident. J'avais jusqu'au lendemain pour trancher, et seulement jusqu'au lendemain, décidai-je.

Je rentrai chez moi à pied.

MARDI

AMR ABDEL SALAM
61 ans, coiffeur

Comme tous les mardis, j'ai commencé la journée avec madame Simard. Shampoing, trois coups de ciseaux, mise en plis. C'est une dame âgée, veuve, plutôt coquette. Elle mène la vie tranquille des personnes de son âge, ponctuée seulement par des problèmes de santé et d'occasionnels conflits bénins avec les personnes de son entourage. Dès le mois d'octobre, sa préoccupation principale est l'organisation du souper de Noël, dont elle est traditionnellement en charge. Or, cette année, son frère Gérard, l'aîné, pourrait être trop mal en point pour se déplacer, ce qui cause à madame Simard beaucoup de soucis.

Comme je suis coiffeur, on s'attend à ce que je puisse régler ce genre de problèmes. Malheureusement, je ne peux pas redonner la santé aux agonisants, je ne suis tout de même pas Jésus-Christ. Je dois me contenter de ma méthode habituelle : me glisser dans la peau de mon client pour comprendre, de l'intérieur, ce qui ne va pas, et essayer de le seconder dans toutes ses décisions, qu'elles soient conscientes ou non. Je laisse le client parler, aussi, c'est important. Madame Simard a parlé longuement, ce matin, assez pour que je m'approche de mon record personnel de lenteur, discipline mise en plis. Je lui ai dit ce qu'elle voulait entendre, en me donnant, comme toujours, l'air de la brusquer.

— Si vous me permettez de vous dire ce que j'en pense, madame Simard, vous ne pouvez pas prendre sur vous la maladie de votre frère. Qu'il soit malade, c'est désolant, évidemment, mais la vie doit continuer. Je vous connais. Je sais que, quoi qu'il arrive, vous êtes capable de parler à votre frère et de faire en sorte qu'il ne se sente pas abandonné.

Je n'ai même pas eu besoin d'insister, elle s'est assez vite rangée à cet avis. Elle a tout de même voulu refaire le tour de la question, me réexposer le point de vue de son autre frère, de ses deux sœurs et de ses deux garçons, maintenant des hommes faits. Lorsqu'elle est partie, rassérénée, vers dix heures, j'avais l'esprit tout imprégné de ses histoires de famille, au point d'avoir presque l'impression d'en faire moi-même partie. Comme je le fais souvent dans ces cas-là, je me suis mis un disque de Mohamed Hafez. Ça me rappelle ma jeunesse, Alexandrie, la mer. Chose rare, je n'avais pas d'autre rendez-vous avant midi.

Je t'ai tendu la main,
Sous les dattiers,
Je t'ai offert mon cœur,
Sous les dattiers,
Tu m'as refusé le tien,
Sous les dattiers,
Et m'as laissé en pleurs,
Sous les dattiers.

Un de mes deux locataires, Louis, est passé me voir vers onze heures. Mon Dieu ! Quelle mauvaise mine il avait ! C'est un jeune homme très anxieux, maladivement anxieux, mais sympathique. Un musicien. On vient de lui offrir un contrat avec l'Orchestre Symphonique, rien de moins, et il est tellement nerveux qu'il est incapable de jouer sa partie. En le voyant entrer, j'ai bien deviné que ça n'allait toujours pas et qu'il allait faire appel à moi. J'ai éteint la musique,

que je m'étais permis de mettre assez fort, étant seul dans le salon.

— Albert, je suis au plus bas, a-t-il dit d'entrée de jeu.

Je l'ai fait asseoir et parler. Il m'avait déjà raconté l'essentiel de ses ennuis, la veille. Il était alors en meilleure forme. Il avait entrepris de « faire le ménage » dans son existence pour éliminer les sources inconscientes de stress, ce qui était une excellente idée, à mon avis, quoiqu'il s'y prenait peut-être un peu tard. Mais il m'apprit que, depuis notre rencontre de la veille, au cours de son « ménage », il avait rencontré une jeune personne charmante qui l'avait bouleversé.

— J'ai été comme foudroyé, m'a-t-il expliqué. Ça s'est passé si vite… je n'y comprends rien !

— Je ne comprends pas trop, Louis. Tu as rencontré une fille qui te plaît : c'est plutôt une bonne nouvelle, non ?

Il a fait non de la tête d'un air désespéré.

— Non, ce n'est pas une bonne nouvelle, dans mon cas. Tu vois, en abordant cette fille, j'ai voulu régler mon problème, j'ai voulu commettre l'irrémédiable. Mais l'irrémédiable s'est retourné contre moi ! Tu comprends ce que je veux dire ? Et puis… hier, je n'ai rien pu faire de bon après cette rencontre. D'heure en heure, mon tremblement empirait. C'est ce tremblement qui est devenu irrémédiable ! Irrémédiable ! !

Il délirait. Mais derrière ce délire, il y avait un véritable problème, et aussi une véritable solution. Je ne suis pas psychiatre, je ne tente pas de redresser les esprits dysfonctionnels. Ma méthode est plutôt de me joindre à mes « patients » pour les encourager à aller jusqu'au bout de leur logique, aussi absurde soit-elle. En somme, Louis avait entrepris de séduire cette jeune personne, mais les circonstances l'avaient empêché d'aller jusqu'au bout. La solution semblait parfaitement évidente :

— Pourquoi ne retournes-tu pas chez elle ?

Il grimaça.

— Pour faire quoi ? demanda-t-il.

— Mais pour terminer ce que tu as entrepris hier ! Vas-y et déclare-toi : ça, ce sera commettre l'irrémédiable !

Il m'a regardé pendant un moment sans rien dire. Je crois que j'avais frappé à la bonne place.

— Oui… tu as raison, finit-il par articuler.

Ensuite, il m'a remercié, m'a dit qu'il repasserait me voir et est parti. J'ai remis Mohamed Hafez.

*

Louis est revenu quelques heures plus tard. Il devait être treize ou quatorze heures. J'étais occupé avec un client et en avais un autre qui attendait, je n'ai donc pas pu lui parler longuement. Quand je l'ai vu entrer, je lui ai fait signe de venir près de moi. Il avait la mine aussi basse que le matin, sinon plus.

— Alors ? ai-je demandé.

— Ça n'a pas marché… je ne l'ai pas trouvée. Elle n'était pas chez elle. J'ai tourné autour de son immeuble pendant plus d'une heure… rien à faire. Et je vais devoir aller à ma répétition générale.

On aurait dit qu'il s'en allait à l'abattoir. J'aurais bien voulu pouvoir mettre mes clients à la porte pour essayer de le remonter mais, bien entendu, c'était impossible. D'ailleurs, ces deux clients, qui n'avaient rien d'autre à faire que de nous écouter, semblaient fort intéressés par l'histoire de Louis. J'ai eu le réflexe de baisser la voix pour lui répondre.

— Écoute-moi bien, Louis. Il faut que tu mettes cette fille de côté, comme en quarantaine, pour quelques heures. Tu places son souvenir dans une pièce fermée de ton esprit, tu verrouilles la porte et tu ne t'en approches plus jusqu'à ce que le concert soit terminé. Tu comprends? Tu te concentres sur ce que tu as à faire à l'orchestre, tu essaies de le faire bien et tu essaies d'avoir du plaisir. C'est simple.

Il regardait par terre sans rien dire. Il avait l'air sceptique, épuisé, à bout de ressources.

— Ouais... finit-il par dire, je suppose que c'est tout ce que je peux faire. Mais, encore là, c'est facile à dire. Quoi qu'il en soit, il faut que j'y aille, je voulais juste te tenir au courant.

J'ai déposé mes ciseaux pour lui serrer la main. Je lui ai dit de ne pas s'en faire, que tout irait bien. Mais j'ai senti que c'était inutile, que, cette fois, mes conseils ne donneraient pas les résultats escomptés.

Il est parti, me laissant profondément déçu de n'avoir pu faire plus pour lui.

BRAD SIMMONS
36 ans, premier violon solo
de l'Orchestre Symphonique

Delambre est arrivé sur scène cinq minutes avant le début de la générale, m'a serré la main et m'a demandé des nouvelles de Michelle. C'est ce qu'il a fait. Tout à fait anormal! Delambre ne s'intéresse qu'à lui-même, c'est bien connu. Qu'est-ce qui a bien pu le pousser à s'enquérir de ma femme, qu'il ne connaît pratiquement pas? Aucune idée, mais cela m'a mis la puce à l'oreille: quelque chose ne tournait pas rond. D'autant plus que son regard était vague, absent.

Il y a toujours eu une certaine tension entre nous. Ce n'est pas vraiment de l'animosité, non, mais disons que nos rapports manquent un peu de fluidité. Je n'ai jamais réussi à savoir ce que Delambre pense réellement de moi et de mon travail à l'orchestre. J'ai parfois l'impression qu'il me tolère, sans plus. Et cette habitude qu'il a de me mettre sur le dos toutes les erreurs de la section m'exaspère franchement. Quoi qu'il en soit, ce qui est étonnant est que, pendant notre bref échange, cette tension latente semblait avoir disparu. On aurait dit que ce n'était pas à moi que Delambre s'adressait, ou qu'il avait oublié l'attitude qu'il prenait toujours vis-à-vis de moi, comme un acteur qu'un trou de mémoire oblige à improviser. C'était embarrassant. Et inquiétant.

Lorsque j'ai vu comment Delambre engageait la répétition, j'ai compris que j'avais bien raison de m'inquiéter. En général, je garde ça pour moi, mais, à mon humble avis, il ne comprend rien à Beethoven. Beethoven, ce n'est pas Debussy, il faut y mettre de la charpente. À trop vouloir « moderniser » la partition, il en vient souvent à mettre le superficiel au-dessus du fondamental et à saper les bases de cette musique. Je suis de ceux qui croient qu'il y a des limites à ne pas franchir dans l'interprétation du répertoire. Tout n'est pas possible. Par exemple, Beethoven donne des indications de tempo souvent très précises. Eh bien, il est inacceptable de les ignorer totalement, ces indications doivent impérativement servir de base de travail. Enfin... Delambre a la piqûre du « moderne ». Et c'est un peu pour cela que je pense à faire l'audition pour le poste de *concertmeister* à Chicago, mais c'est une tout autre histoire.

Même en faisant abstraction de mes réticences de principe, et je crois que n'importe qui serait d'accord avec moi là-dessus, ce que Delambre a fait durant la générale était carrément à côté de la plaque. La *Septième symphonie*, tout particulièrement, a été un pur désastre. Je suis tout près du chef, à deux mètres tout au plus, alors on peut facilement imaginer que si moi je ne comprends pas sa battue, il y a de fortes chances que personne dans l'orchestre ne la comprenne. Or là, vraiment, cette battue était, par moments, si relâchée que j'avais du mal à m'y retrouver. Il a fallu que j'en pédale tout un coup pour que les collègues, en arrière, me suivent. Oui, j'ai pratiquement dirigé à la place du chef, et ça, vraiment, c'est du jamais vu.

Delambre a tout de même du métier et une longue expérience derrière lui. Et si je ne suis pas toujours d'accord avec ses choix esthétiques, je reconnais volontiers que c'est un bon chef, peut-être même un grand chef. Comme un bon politicien, un bon chef se doit d'être toujours égal à lui-même. Un bon chef n'est pas malade, n'est pas débordé, n'est pas fatigué, ne vit pas de crises personnelles, n'a pas d'autres états d'âme que ceux qui servent ses desseins musicaux. Bref, il n'y a pas d'excuse possible, pas de pardon. C'est ce qui explique que cette répétition ait été si troublante pour moi.

Nous n'avons rien fait de bon. Les problèmes qui étaient là au début de la répétition y étaient encore à la fin. J'ai pris l'initiative de corriger moi-même quelques erreurs de coups d'archet qui avaient échappé à Delambre, ce qui, en soi, est tout à fait stupéfiant. Mais je ne pouvais tout de même pas me mêler de ce qui se passait chez les vents.

Je ne suis pas ce qu'on pourrait appeler un fin analyste de la nature humaine. Michelle me dit toujours que je n'ai pas d'« antennes » et que je ne comprends rien aux sentiments. Mais, à mon avis, Delambre était au bord de l'effondrement émotionnel. Je m'attendais au pire pour le concert.

SERGE CARDINAL

44 ans, chef de la section de percussions de l'Orchestre Symphonique

Papi n'allait pas très bien ce matin. Il était un peu grognon, ce qui ne lui arrive que très, très rarement. En général, cela signifie qu'il a mal quelque part, mais qu'il ne veut pas l'admettre. Contrairement à l'immense majorité des vieillards, il cache tout ce qui a trait à sa santé et évite systématiquement le sujet. La plupart du temps, évidemment, je ne m'en plains pas. Mais j'en suis d'autant plus inquiet lorsque je sais que quelque chose ne va pas. Et il est parfaitement normal qu'il ne se sente pas toujours en pleine forme, son dossier médical étant, après tout, assez chargé : arthrose, emphysème, diabète, et j'en passe. Réussir à lui faire cracher le morceau demande toujours plusieurs heures de travail acharné, et j'ai l'impression qu'avec les années le processus est de plus en plus long et de plus en plus difficile.

J'ai passé tout l'avant-midi là-dessus. Papi est presque complètement sourd, mais lorsqu'il fait un effort, il est parfaitement possible de se faire comprendre de lui et d'avoir une conversation à peu près cohérente. Il suffit d'être créatif, de faire de grands gestes, d'être expressif. Inutile de le préciser, papi n'était pas disposé à faire un effort pour communiquer ce matin. Il se contentait de grogner un peu et de me regarder d'un air maussade, faisant mine, la plupart du temps, de ne pas remarquer que j'étais en train de lui parler.

Vers midi, las et inquiet, je me suis décidé à avoir recours aux grands moyens. Je me suis approché de la commode qui se trouve à gauche de son fauteuil, ai ouvert le premier tiroir et en ai sorti l'appareil auditif de papi. En me voyant faire, il s'est tout de suite braqué :

— Non, non, pas besoin de ça ! a-t-il dit d'un ton paniqué. Tu n'as qu'à parler plus fort ! Si tu chuchotes, je ne peux pas t'entendre !

Il détestait porter son appareil et n'acceptait de le faire que pour parler à son médecin. Grâce à cette menace, j'ai réussi à le faire parler un peu. Il m'a avoué qu'il avait mal dormi. Bon. C'était un début, mais je ne pouvais pas me contenter de si peu.

— Pourquoi as-tu mal dormi, papi ?

— Mmm, oui, c'est ça, j'ai mal dormi.

J'ai dû manœuvrer pendant une bonne demi-heure avant qu'il m'apprenne que c'était à cause de son dos. L'arthrose, probablement. Pourtant, je n'étais pas tout à fait rassuré. J'avais peur qu'il ne me cache encore quelque chose. J'ai décidé de rester un peu plus longtemps avec lui. J'ai donc téléphoné à mon collègue Hugo Tremblay pour lui demander de faire la mise en place des instruments avant la répétition générale. De cette façon, je pourrais me rendre à la salle de concert un peu plus tard que prévu.

Je suis resté auprès de papi, mais je l'ai laissé tranquille : je l'avais assez fatigué avec mes questions. Curieusement, lorsqu'il m'a vu m'installer dans le salon avec un livre, sa mauvaise humeur a commencé à se dissiper. Peu de temps après, il m'a demandé de lui préparer une tasse de thé et s'est mis à me raconter l'histoire d'un de ses romans anglais favoris, *Middlemarch*, de George Eliot. La littérature britannique avait été la grande passion de papi et, chose étonnante, s'il lui arrivait fréquemment d'oublier le nom d'un membre de sa famille proche ou de s'embrouiller dans les événements de sa vie quotidienne récente, il se souvenait parfaitement bien de tous les détails des romans de Dickens, Thackeray, Fielding, Austen et compagnie. Son récit, que j'avais déjà entendu plusieurs fois, au point où je n'avais pas vraiment envie de lire le roman en question, a achevé de me rassurer. Après tout, peut-être avait-il simplement besoin d'un peu d'attention. Le moment venu, j'ai donc pu me rendre en répétition, l'esprit relativement tranquille.

Cette partition de Park In Won nécessitait beaucoup de travail. Je dois admettre avoir apporté, de mon propre chef, quelques légères corrections à ma partie : à deux ou trois endroits, le compositeur demandait carrément l'impossible. Le résultat était, disons, un peu approximatif. Mais je ne crois pas que cela nuisait tellement à l'ensemble, l'écriture était si touffue qu'à l'audition tout se mêlait un peu. C'était quand même une bonne pièce, efficace, poétique.

La seule chose qui m'embêtait vraiment, avec ce concert, c'était mon nouveau surnuméraire. En le voyant s'installer sur son tabouret, pâle comme un drap, je me suis dit qu'on allait certainement vers un désastre. Je m'en voulais d'avoir engagé ce garçon. On ne manque pas de percussionnistes dans cette ville, pourquoi avait-il fallu que je tombe sur quelqu'un de perturbé à ce point? Le pire, c'est qu'il n'avait qu'un seul et unique coup de triangle à jouer. N'importe quel abruti aurait pu le faire! Et lui, en répétition, il était si nerveux qu'il l'avait manqué. À voir son air, cet après-midi, il était clair qu'il n'avait pas réussi à se calmer. Il avait les deux mains à plat sur ses cuisses et regardait droit devant lui, les yeux exorbités. Il essayait sans doute d'avoir l'air « normal ».

Après la répétition d'avant-hier, je lui avais conseillé d'aller voir le vieux Deléglise. Pas que j'aie cru que celui-ci puisse vraiment faire quelque chose, non, Deléglise est trop déconnecté, il est en dehors de tout depuis trop longtemps. C'était plutôt une façon de me décharger d'une part de la responsabilité. En cas de désastre, je pourrais dire que « nous » avions fait tout ce qui était en notre pouvoir. Et on n'oserait pas reprocher quoi que ce soit trop durement à Deléglise, je serais donc protégé, dans une certaine mesure.

J'ai demandé au petit s'il était allé voir le vieux. Il m'a répondu que oui, qu'il avait été de bon conseil, que ça irait. J'ai bien vu que c'était du bluff mais, au fond, c'était tant mieux, je n'avais pas envie de jouer au thérapeute.

On peut dire que Louis a, par la suite, été chanceux, très chanceux. Je veux bien lui donner le bénéfice du doute, mais dans mon for intérieur, je crois que s'il n'avait pas été « sauvé par la cloche », il aurait encore manqué son entrée. La répétition s'est déroulée comme sur des roulettes, c'est-à-dire que Delambre nous a pratiquement laissé jouer sans rien dire, ce qui n'est pas du tout dans ses habitudes. Mais avant la fin de la pièce, le compositeur, qui était dans la salle, s'est levé, est monté sur scène et nous a interrompus pour faire ses commentaires. Il a parlé longuement et nous a fait reprendre quelques passages jusqu'à ce que notre représentant syndical se lève et annonce qu'il fallait arrêter, ou passer en heures supplémentaires. On s'est donc arrêtés sans avoir joué la pièce jusqu'au bout… et sans avoir donné la chance à Louis de nous faire entendre son coup de triangle.

*

Je croyais être le seul à m'inquiéter de la nervosité du petit surnuméraire. Pourtant, quelques heures après la générale, tout juste avant le concert, j'ai été témoin d'une scène très intrigante qui m'a fait croire le contraire. Tandis que je me dirigeais vers l'arrière-scène, j'ai aperçu, au bout d'un couloir, Delambre et le petit Louis en conversation. Ils semblaient tenir une sorte de conciliabule. Je me suis dit que le maestro, conscient de ne s'être pas rendu jusqu'au coup de triangle, avait voulu s'assurer que tout irait bien au concert en s'adressant personnellement au musicien. Ce n'est que beaucoup plus tard que j'ai appris les tenants et aboutissants de cette conversation et je dois dire que, encore maintenant, j'ai du mal à y croire tellement cela me semble extraordinaire.

WILLIAM THOMAS
69 ans, agent d'artistes

Je connais Pierre depuis plus de vingt-cinq ans. En 1981, il avait remplacé au pied levé Claudio Abbado pour un concert au Barbican Centre. Je m'en souviens comme si c'était hier. Il avait fait le *Mandarin merveilleux* de Bartók et le public londonien avait été subjugué. C'était un jeune chef à l'époque, et il n'était pas encore représenté : une aubaine pour moi. Je lui avais tout de suite proposé de se joindre à notre écurie et j'ai été son agent depuis lors.

Je connais bien, aussi, sa femme, Anne-Marie, une grande blonde extrêmement sexy. Une intellectuelle. Ils viennent souvent passer quelques jours, l'été, dans ma maison de campagne, dans le Kent. Ils forment un joli couple, uni, heureux, paisible. Je n'ai jamais soupçonné le moindre problème entre eux.

Il était passé minuit lorsque Pierre m'a téléphoné. Je buvais tranquillement un dernier whisky avant de me mettre au lit. J'avais eu une excellente journée. Mon plus jeune chef, Octavo Duhamel, venait de faire un véritable triomphe avec le National de France. J'avais la tête bourrée de projets pour lui, ce qui me mettait de très bonne humeur. Mais comment ne pas avoir un sursaut d'inquiétude lorsqu'un de vos clients vous téléphone pratiquement au milieu de la nuit? Surtout qu'il n'avait jamais fait quelque chose de semblable auparavant.

— Salut, Will. Pierre Delambre. Tu n'es pas couché?

— Non, non, pas encore. Que puis-je faire pour toi?

J'étais d'autant plus inquiet que je savais que Pierre avait un concert le soir même, dans moins d'une heure, avec son orchestre de Montréal. Dans ma profession, calculer le décalage horaire devient rapidement une seconde nature.

— J'ai besoin d'un conseil, Will. Un conseil d'ordre... personnel.

Pierre Delambre m'appelant à minuit pour me demander un conseil «personnel»: c'était tout à fait inusité.

— Mais bien sûr, Pierre, ai-je dit en baissant instinctivement le ton. Qu'est-ce qui ne va pas?

Ensuite, à mi-voix, sans doute de peur d'être entendu par des indiscrets, il m'a fait le récit de ses quatre ou cinq dernières journées qui, disait-il, avaient «complètement chamboulé» son existence.

En somme, de mon point de vue, son histoire n'a rien de bien extraordinaire. Pendant un concert, à Moscou, il s'est un peu épris de Svetlana Vassilieva et a presque couché avec elle. *Presque.* Pas de quoi fouetter un chat, surtout que je peux affirmer avec certitude qu'au moins trois de mes clients mâles connaissent intimement cette charmante jeune personne. Quoi qu'il en soit, Pierre est bouleversé, il a l'impression d'avoir trahi Anne-Marie. J'ai essayé de le raisonner, de lui faire comprendre qu'une mauvaise pensée n'est ni un crime, ni une trahison, mais rien n'y faisait. Et il m'a ensuite expliqué que son trouble était tel qu'il en perdait ses moyens, que toutes les répétitions pour le concert de ce soir avaient été désastreuses et qu'il était vraiment très inquiet du résultat. Du coup, j'ai commencé à m'inquiéter sérieusement moi aussi.

— Tu comprends, a-t-il dit, j'essaie depuis mon retour de dissiper ce nuage et j'ai l'impression qu'il suffirait d'une parole, d'un geste, pour que je me sente à l'aise à nouveau avec Anne-Marie, mais je n'y arrive pas. Je suis bloqué.

Il m'a semblé que sa façon d'appréhender la situation était quelque peu... ésotérique. Mais s'il fallait en passer par là pour régler le problème, pourquoi pas. L'important était qu'il puisse diriger convenablement, et il ne nous restait que quelques minutes pour agir.

— Alors, ai-je tenté, téléphone-lui maintenant et dis-lui que tu l'aimes, tout simplement.

— Non, Will, ça ne marchera pas. C'est précisément ce que j'essaie de faire depuis trois jours. Je n'y arrive pas.

— Envoie-lui un mot, une pensée délicate, n'importe quoi... si ça peut te calmer.

Bref silence.

— Ça aussi, j'ai essayé. Je ne sais pas, c'est trop... direct.

Trop « direct », allons donc ! C'était à croire qu'il ne voulait rien faire, qu'il avait déjà baissé les bras. Mais si c'était le cas, pourquoi m'avoir appelé ?

— Pierre, il faut pourtant bien tenter quelque chose ! Pourquoi ne pas lui envoyer une fleur, tout de suite. Si tu veux oublier toute cette histoire et repartir à neuf, c'est ce qu'il faut faire : reconquérir Anne-Marie, lui faire la cour, en commençant par une fleur. C'est le symbole par excellence. C'est élégant et subtil, quoique, bien franchement, toi et Anne-Marie êtes mariés depuis presque trente ans, je ne vois pas pourquoi tu as peur d'être « direct ».

— Tu ne comprends pas, Will. Le lien est brisé, je me sens comme un étranger avec elle.

Il a paru réfléchir pendant un moment.

— Mais, a-t-il fini par concéder, une fleur, ce n'est peut-être pas une mauvaise idée... puisqu'il faut bien essayer quelque chose.

J'ai décidé de mettre toute la gomme :

— Oui, crois-moi, c'est une excellente idée. Tu lui fais parvenir une fleur par ton assistante, avec un message gentil, si tu veux, quelque chose de simple. Tu peux toujours prétexter que tu n'arrivais pas à la joindre au téléphone, si tu as peur de paraître suspect. Il suffit d'envoyer cette fleur de tout ton cœur et, tu verras, tu te sentiras mieux. Cela te permettra de tout lui raconter ce soir. Parce que, je te le dis, c'est ce qu'il faut que tu fasses : tout lui raconter, sincèrement, en t'abandonnant.

J'ai tout de suite senti que j'avais touché une corde sensible. Cette idée de fleur était parfaitement grotesque, mais puisque ça semblait pouvoir fonctionner... Les artistes ont parfois l'esprit assez tordu. J'entendais ses pas au bout du fil, il était probablement en train de marcher de long en large dans sa loge. Il a été si long à répondre que j'ai eu le temps de me verser encore un fond de whisky, silencieusement.

— Will, c'est d'accord, je vais faire comme tu dis. La fleur. Et puis, ce soir, je lui dirai tout. Tout.

Il était terriblement solennel, c'en était presque comique.

— Mais, a-t-il continué, je ne peux pas envoyer mon assistante, j'aurais l'air ridicule et cette histoire se répandrait comme une traînée de poudre dans l'orchestre.

— Alors envoie quelqu'un d'autre ! N'importe qui ! Mais fais-le maintenant, tu n'as pas de temps à perdre. Et ressaisis-toi, bon Dieu ! Je veux que tu nous fasses la meilleure *Septième* de ta carrière ! Compris ?

Il a eu un rire presque détendu : il reprenait déjà de l'assurance.

— Oui, ma meilleure *Septième*… on verra bien. Je t'enverrai l'enregistrement. Merci, Will.

J'étais assez satisfait de moi en raccrochant. J'avais fait tout ce que je pouvais. Et, d'ailleurs, si la fleur ne marchait pas, si Pierre s'effondrait malgré tout et faisait un fiasco, s'il perdait définitivement ses moyens, ce serait peut-être une bonne occasion d'envoyer Octavo à Montréal. Oui, l'OS, ce serait parfait pour ce petit. Un bon tremplin vers les États-Unis. D'ici cinq ou six ans, on pourrait envisager de le placer à Los Angeles, ou peut-être à New York. Quoiqu'il ne faille pas négliger Berlin non plus… Il faudra bien y réfléchir, le moment venu.

GEORGES JOMPHE
52 ans, encanteur

Ah, cette chère petite Justine ! On peut dire qu'elle m'a donné pas mal de fil à retordre, avec cette histoire de hibou. Et je me suis franchement inquiété pour elle. Qu'est-ce que c'est que cette idée de vouloir mettre en vente la seule œuvre de son père qui lui appartienne en propre, alors que la question de la succession est loin d'être réglée et que le marché n'est pas à son meilleur ? En attendant le bon moment, cette pièce irait chercher dans les deux millions, deux millions et demi, peut-être plus… Justine n'a pas l'âme d'une femme d'affaires, c'est le moins qu'on puisse dire.

Lorsqu'elle m'est arrivée avec cette idée, hier, j'ai eu bien du mal à trouver quoi lui répondre. J'ai tenté de la faire renoncer mais elle n'a même pas voulu discuter. Je l'ai trouvée étrangement hostile à mon égard, elle devait traverser une mauvaise passe. J'ai pensé qu'elle avait peut-être des problèmes de drogue, ce qui aurait expliqué son besoin pressant d'argent. Mais, à bien y réfléchir, il n'y avait aucune raison pour qu'elle manque d'argent, même si elle en dépensait beaucoup en psychotropes, ce qui, de toute façon, était parfaitement invraisemblable : Justine n'était pas ce genre de personne.

J'ai toujours considéré Justine un peu comme ma propre fille. André l'a eue trop tard pour se consacrer pleinement à son rôle de père. D'ailleurs, c'était surtout Suzanne qui voulait un enfant. Elle était plus jeune, elle avait du temps et beaucoup d'énergie. Et il est bien normal que je me sente si proche de Justine, étant donné la relation que j'ai avec sa mère. Suzanne et moi sommes devenus amants alors que Justine avait cinq ou six ans. Au début, il était absolument capital de garder notre idylle secrète : en plus de la vie de famille de Suzanne, c'était ma réputation et, donc, mon gagne-pain, qui était en jeu. Et puis, Suzanne n'a jamais parlé de divorce, elle aimait André, sincèrement, même s'il ne lui donnait pas toute l'attention qu'elle méritait. À la mort d'André, nous aurions pu révéler notre relation, rien ne nous en empêchait vraiment, mais nous ne l'avons pas fait. Après vingt ans de dissimulation, c'était comme si le secret de notre amour était devenu une condition de son existence. Il m'importe plus que tout au monde de préserver ma relation avec Suzanne, je n'oserais faire le moindre geste qui pourrait la mettre en péril. Avec l'âge, nous nous voyons moins souvent, c'est certain, mais la flamme ne s'est jamais éteinte.

Nous avons souvent cru que Justine se doutait de quelque chose. Ce n'est pas impossible. Peut-être même est-ce la raison de son étrange attitude d'hier : on aurait dit qu'elle m'en voulait pour quelque chose. J'aurais vraiment souhaité qu'elle se confie à moi, qu'elle soit plus transparente, mais je n'ai rien pu faire pour la sortir de sa réserve. Alors j'ai dû manœuvrer. Car, cela a été clair pour moi dès le départ, il fallait éviter à tout prix de vendre le *Hibou,* quelle que soit la situation dans laquelle Justine se trouvait, peu importe qu'elle me mette ou non au fait de cette situation.

Lorsque j'ai vu qu'elle ne reculerait pas facilement, j'ai commencé par éviter le pire en tentant de la convaincre qu'il était préférable de ne pas avoir recours à une vente aux enchères. Elle a semblé se rendre à mes arguments, mais comme elle ne démordait pas de l'idée de vendre la pièce, d'une façon ou d'une autre, il a fallu que je propose une alternative. Je lui ai donc offert d'acheter le *Hibou* moi-même. Cette proposition l'a visiblement surprise et choquée, et avec raison : c'était éthiquement plutôt douteux. Mais elle était, en quelque sorte, au pied du mur, tant qu'elle ne reconsidérerait pas la possibilité d'une vente aux enchères. Je lui ai recommandé de bien réfléchir, nous nous reverrions aujourd'hui.

Évidemment, dès que Justine a eu quitté mon bureau, j'ai téléphoné à Suzanne. Elle a été complètement bouleversée. J'ai mis du temps à la consoler, à la raisonner. J'ai dû annuler deux rendez-vous que j'avais dans l'après-midi. Finalement, je lui ai exposé le plan que j'avais conçu en parlant à Justine. D'abord, j'essaierais à nouveau de la faire renoncer à la vente. Si je n'y parvenais pas, ce ne serait pas moi qui achèterais la sculpture, mais elle, Suzanne. Je me ferais passer pour l'acheteur et avancerais au moins une partie de la somme, mais le *Hibou* resterait dans la famille, retournerait à Sorel. Il reviendrait donc tôt ou tard à Justine : la vente serait purement symbolique, presque fictive. Suzanne a accepté, quoiqu'à regret, de se prêter à ce stratagème.

Justine est donc revenue me voir aujourd'hui, tel que convenu, aux environs de midi. J'avais préparé mon entrée en matière et voulais revenir à la charge le plus vite possible, mais Justine m'a devancé.

— C'est bon, Georges, on fait comme tu proposes : je vais te vendre le *Hibou*.

Elle était franchement agressive, beaucoup plus qu'hier. Elle avait visiblement l'impression que j'étais en train de l'arnaquer et voulait me faire comprendre qu'elle y allait à contre-cœur. Cela a été une conversation extrêmement douloureuse pour moi, car il a fallu que je joue le jeu, que je conserve l'attitude un peu distante d'un homme d'affaires, alors que j'aurais voulu la prendre dans mes bras, la consoler, la faire parler à cœur ouvert. Mais j'avais trop peur, si je laissais tomber le masque, qu'elle se braque, qu'elle s'enfuie et aille vendre le *Hibou* ailleurs, à vil prix. J'ai, malgré tout, tenté une avancée.

— Bien, ai-je dit. Mais… es-tu bien certaine de ce que tu fais ? Tu sais, avant d'être un acheteur, je suis un ami… Que se passe-t-il donc, Justine ? Pourquoi cet empressement ?

Elle m'a regardé froidement sans rien dire pendant un long moment.

— Pas la peine de jouer au grand cœur, Georges, a-t-elle finalement répondu. Il est assez clair que tu vas trouver ton compte dans cette vente. Tu n'as pas à te plaindre… alors laisse-moi mes problèmes.

Elle était cruelle, j'en aurais presque pleuré. Mais j'ai compris que je devrais aller jusqu'au bout de ma petite machination.

Je lui ai offert un montant raisonnable, qu'elle a accepté sans broncher. Je lui ai demandé un délai de quarante-huit heures pour rassembler l'argent. J'espérais qu'elle revienne à la raison entre-temps, et elle est partie sans plus de discussions, me laissant, encore une fois, la sculpture.

J'ai encore passé une bonne partie de l'après-midi au téléphone avec Suzanne. Nous avons essayé de comprendre ce qui se passait, émis toutes sortes d'hypothèses. Suzanne avait l'impression d'être la cause de tout cela, d'être un fardeau pour sa fille, de ne pas lui avoir laissé faire ses propres choix. Elle avait téléphoné à Justine plusieurs fois depuis hier, sans réponse. Même le répondeur était débranché. J'ai tenté, du mieux que j'ai pu, de la déculpabiliser. Mais, au fond, je me disais qu'elle n'avait peut-être pas tout à fait tort, qu'elle était sans doute en partie responsable.

Cette histoire a continué d'accaparer mes pensées pendant le reste de la journée, jusqu'à ce que Justine m'appelle sur mon téléphone portable, en soirée. Il devait être environ huit heures, peut-être un peu plus. J'ai tout de suite remarqué que sa voix était différente, plus posée, le ton moins hargneux.

— Georges, a-t-elle commencé, je t'appelle pour te demander de mettre notre entente sur la glace, si tu le veux bien.

J'ai réprimé un soupir de soulagement.

— Mais bien sûr, ai-je répondu, avec plaisir ! Tu crois finalement avoir trouvé une autre solution ?

Elle a hésité un moment avant de répondre.

— Pas vraiment, non, rien n'est réglé… mais je dois y penser encore un peu. Et… oui, la donne a changé un peu, ce soir.

— Je suis content, Justine. Prends le temps qu'il te faut.

Puis elle a repris une voix un peu plus dure, un peu plus sèche.

— Tu comprends que tout ça doit rester entre nous, n'est-ce pas?

— Absolument, ai-je répondu aussitôt.

— Ce qui veut dire, a-t-elle continué, que tu n'en parles pas à ma mère.

J'ai grimacé.

— Bien sûr, Justine, ne t'inquiète pas.

Je ne sais pas jusqu'à quel point elle m'a cru. Je ne le saurai peut-être jamais. Pour me donner bonne conscience, je n'ai pas téléphoné à Suzanne ce soir. Cela lui laissera le temps d'aller jusqu'au bout de son autocritique, ce qui ne peut pas faire de tort. Demain, on verra bien.

PIERRETTE GÉLINAS
52 ans, fleuriste

On ne peut pas dire qu'il soit extrêmement rentable de garder la boutique ouverte le soir, comme je l'ai toujours fait. Il n'y a pas des masses de clients, juste assez pour ne pas faire de déficit. Mais j'aime bien ce calme complet qui règne dans la boutique le soir, on dirait qu'il met en valeur le parfum des fleurs. Et cela me laisse le temps de m'occuper de mes fleurs, de préparer quelques bouquets pour le lendemain matin en écoutant un peu de musique, Mozart ou Vivaldi. De toute façon, j'ai rapidement compris, après avoir ouvert la boutique, il y a déjà dix-sept ans, que je ne ferais pas fortune. C'est triste à dire, mais je crois que les Montréalais n'aiment tout simplement pas les fleurs. Ils en offrent parfois aux mariés, aux convalescents et aux morts, mais elles ne font pas partie de leur quotidien, de leur vie « réelle ». Peu de gens réalisent vraiment, ici, à quel point un joli bouquet peut métamorphoser une pièce. En conséquence, je fais des affaires assez maigres, mais je me console en tirant un maximum de plaisir de ma cohabitation avec les fleurs, de leur omniprésence dans ma vie.

Je crois que je vais me rappeler longtemps du client qui est venu ce soir. Un excentrique. D'abord, il était en habit de soirée : queue de pie, nœud papillon et tout. Ensuite, il avait l'air de débarquer tout droit de la planète Mars, ou plutôt, de débarquer *sur* la planète Mars, tant son entrée dans la boutique était mal assurée et hésitante. Il posait autour de lui un regard soupçonneux et inquiet ; il était livide. C'était un jeune homme dans la vingtaine.

En le voyant entrer, j'ai tout de suite pensé à mon neveu Émile. De tous les enfants de mon frère aîné, Émile est mon préféré. Je le vois malheureusement beaucoup trop rarement à mon goût. Je ne sais même plus où il en est… probablement encore à l'université. En littérature ? En philosophie ? Je ne saurais dire, tellement il a souvent changé d'orientation. C'est un garçon un peu gauche, qui parle peu, très timide. Il a gardé des traits d'enfant : la bouche, les joues, le grain de la peau. Ce client au nœud papillon avait aussi des traits un peu enfantins. C'est probablement ce qui m'a fait penser à Émile.

Je me suis demandé s'il était possible qu'il se rende à un mariage, peut-être son propre mariage, le mardi soir. Avec toutes ces sectes religieuses qui pullulent, il doit bien y en avoir qui organisent leurs mariages les soirs de semaine. Mais ce garçon n'avait pas vraiment l'air d'un membre de secte, il n'avait pas l'air illuminé. Il devait se rendre à un gala. Oui, un gala, c'était vraisemblable. Une chose était certaine, il avait l'intention d'acheter des fleurs. Je lui ai laissé le temps de faire le tour de la boutique. Certains clients, toujours des hommes, achètent des fleurs comme ils achèteraient des préservatifs : ils sont extrêmement embarrassés, ont peur d'être reconnus, ont l'impression de commettre un acte hautement dissident. Ces clients sont assez divertissants à regarder, et le jeune homme de ce soir appartenait clairement à cette catégorie. À le voir circuler devant les étalages avec une fausse nonchalance, n'osant rien regarder de trop près ou avec un intérêt trop visible, j'ai écarté l'hypothèse du gala. Non, ce jeune homme voulait offrir des fleurs à une femme. Et cette femme n'était ni sa mère, ni son épouse. On allait faire appel à moi dans le cadre d'une entreprise de séduction ! Cette idée m'a tout de suite mise dans d'excellentes dispositions.

Il était si embarrassé qu'il n'osait pas venir jusqu'à moi. Je suis donc sortie de derrière le comptoir pour l'aborder.

— Bonsoir ! Vous cherchez quelque chose en particulier ? ai-je demandé.

Il a eu un petit sursaut et s'est retourné vers moi, l'air surpris, comme s'il avait été tout à fait anormal que je lui adresse la parole.

— Bonsoir, a-t-il dit timidement. Je suis un peu pressé. On m'a demandé... d'acheter une fleur.

Ça, c'était assez fort ! Qu'y a-t-il donc de si gênant à acheter une simple fleur ? Pourquoi inventer toute une histoire ? Enfin...

— Très bien, ai-je répondu, faisant mine de rien. Quel genre de fleur ?

— En bien... je ne sais pas trop. Je n'y connais rien, vraiment, aux fleurs. C'est quelqu'un qui m'a demandé de faire la commission.

Je ne pus réprimer un sourire devant tant de timidité.

— D'accord, je vois. Et à qui la fleur est-elle destinée?

— Oh… a-t-il dit en faisant la moue, je ne sais pas trop. Enfin, c'est-à-dire… je sais qu'elle est destinée à une femme.

Il a hésité un peu avant d'ajouter:

— Et il y a un message, avec la fleur, que je dois transmettre de vive voix: «je pense à toi», quelque chose comme ça.

C'était parfaitement clair. S'imaginait-il vraiment que je croyais à son histoire?

— Ah! ai-je dit avec enthousiasme, le message, ça nous fait un point de départ. Mais… une seule fleur? Vous êtes certain? On peut faire un joli petit bouquet, si vous voulez?

— Non, non, une seule, c'est ce qu'on m'a demandé.

Je lui ai donc fait faire le tour des étalages en lui proposant différentes choses: une pensée (je pense à vous, pensez à moi), une véronique (nos pensées s'accordent), une immortelle (toujours à vous). Curieusement, rien n'a semblé le convaincre, il avait même l'air plutôt impatient: il aurait peut-être voulu que je choisisse pour lui. Il regardait à peine les fleurs que je lui proposais, se contentant, chaque fois, d'émettre un vague murmure gêné. J'ai donc décidé de prendre les devants.

— Si vous voulez quelque chose d'un peu plus fin, ai-je dit en lui montrant la délicate fleur blanche qui, à mon avis, était ce qui convenait le mieux à ce jeune homme, j'ai ici une fleur un peu plus rare, surtout en cette saison, et très jolie. C'est une fleur d'abricotier, avec sa petite branche. Je l'ai reçue ce matin, une petite excentricité de mon fournisseur, et je ne la proposerais pas à n'importe qui! Tenez…

Je lui ai tendu la fleur. Il l'a prise, un peu maladroitement, l'a timidement approchée de son nez.

— Est-ce qu'elle a aussi une signification particulière ? a-t-il demandé.

J'ai détourné le regard, en mauvaise menteuse que je suis.

— Oh… non, pas vraiment. Mais elle convient très bien à votre message… oui… c'est une fleur blanche, c'est ce qu'il vous faut. Si elle vous plaît, bien sûr.

Il a hoché la tête, a dit que la fleur lui convenait. Je la lui ai emballée et l'ai fait payer. Je n'ai pas pu résister à l'envie de lui envoyer un « bonne chance ! », tandis qu'il marchait vers la sortie.

— Euh… merci, a-t-il dit en tournant la tête.

J'étais assez satisfaite de mon petit tour. Évidemment, la fleur d'abricotier avait une signification, elle symbolisait l'amour timide. Oui, vraiment, c'était bien ce qu'il fallait à ce client, me semblait-il.

Par la fenêtre, j'ai suivi le client des yeux tandis qu'il rejoignait le trottoir. Un taxi l'attendait. Je me suis demandé de quoi Émile aurait l'air, avec un nœud papillon.

DANIEL CASTONGUAY
38 ans, chauffeur de taxi

Le taxi, ce n'est pas ma vocation. Vraiment pas. En fait, je suis mécanicien. Et, je n'ai pas peur de le dire, un bon mécanicien, un vrai, un pro. J'ai eu mon propre garage, à L'Assomption, boulevard Turgeon, mais ça n'a pas marché très longtemps. Cinq ans. Ce n'est pas que je manquais de clients, non, j'en avais amplement, j'étais toujours occupé et j'avais engagé deux gars à temps partiel. C'est la banque qui a fini par m'avoir. J'avais emprunté beaucoup d'argent, et quand les taux d'intérêt se sont mis à monter, je n'ai plus été capable de payer, je me suis retrouvé sur la paille. Pour payer mes dettes, j'ai été obligé de tout vendre. Le garage, évidemment, mais mon petit bungalow aussi. Isabelle ne l'a pas pris : elle est partie avec la petite. Tout ce que j'ai pu garder, en fin de compte, c'est mon auto, une belle grosse Buick de collection, le seul luxe que je me sois jamais payé. Je suis donc venu à Montréal et me suis mis à faire le taxi. Transformer une voiture de collection en taxi, c'est un peu étrange et ça attire l'attention, mais puisqu'elle roule à merveille... Et qu'est-ce que je pouvais faire d'autre ? Travailler dans un garage pour quelqu'un d'autre ? Non merci. J'aime autant faire moins d'argent mais être à mon compte. Je suis un indépendant.

La presque faillite, le divorce, cet effondrement complet de mon existence est arrivé il y a un peu plus de quatre ans. J'ai beau m'être adapté tant bien que mal à mon nouveau quotidien, je ne m'y suis jamais vraiment résigné. Depuis quatre ans, chaque jour, je me suis dit qu'il fallait que ça finisse, que je ne pouvais pas passer le restant de mes jours derrière un volant, qu'il fallait que je tente ma chance à nouveau, quitte à échouer encore une fois. Et c'est aujourd'hui que je me suis finalement décidé. Est-ce que ça a vraiment quelque chose à voir avec le client que j'ai ramassé en début de soirée ? Peut-être pas, après tout, et, de toute façon, il est trop tôt pour le savoir. Mais, difficile de dire pourquoi au juste, quelque chose me porte à croire que si ce n'avait été de cette course, je n'aurais pas eu le courage de prendre cette décision.

Ce client, je l'ai ramassé un peu avant huit heures, devant la Place des Arts. J'ai tout de suite pensé qu'il devait participer à un spectacle, puisqu'il portait un nœud papillon. Il avait probablement quelques années de moins que moi et n'avait vraiment pas l'air en forme : il était pâle, sa voix tremblait. Il m'a donné une adresse, à Westmount, m'a dit qu'il fallait s'y rendre et revenir mais, d'abord, qu'il devait passer chez un fleuriste.

— Vous en connaissez peut-être un, sur le chemin ? a-t-il demandé.

— Oui, j'ai une idée, ai-je répondu en pensant à la petite boutique sur Sherbrooke.

Il a ajouté qu'il était pressé, qu'il ne fallait pas perdre de temps, et a demandé s'il pouvait payer par carte de crédit. Je n'aime pas les cartes de crédit : de la paperasse inutile. Mais je les accepte quand même, surtout pour les longues courses comme celle-là.

Je l'ai donc mené chez le fleuriste. Il est descendu, j'ai laissé tourner le compteur. Et c'est alors que Patrick m'a appelé, sur mon portable. Patrick est un ami de longue date, du temps de l'école secondaire. On parle depuis longtemps d'ouvrir un garage ensemble, en association. Lui s'occuperait de l'administration et moi, de la mécanique. C'est un rêve que nous partageons, un rêve que j'avais toujours considéré, jusqu'à aujourd'hui, plutôt comme une lubie que comme un véritable projet. Lorsqu'il m'a téléphoné, je me doutais bien que c'était de cela qu'il voulait parler, et je ne me trompais pas, sauf qu'il y avait dans sa voix plus de sérieux que d'habitude. La conversation est rapidement devenue très concrète.

— J'ai trouvé la place, Daniel.

— Euh... quelle place ?

— Sur la cent trente-huit, passé Lavaltrie. Tu sais, le garage du vieux Bilodeau. Il veut vendre maintenant.

Patrick était très sérieux. Et l'idée d'un petit garage tranquille, loin de Montréal, était assez séduisante.

— Et... ai-je dit, tu penses que ça passerait avec la banque?

— Ça va passer, a-t-il répondu plus gravement, mais il va probablement falloir mettre tout ce qu'on possède en garantie... et donner un certain montant dès le départ, comptant.

J'ai soupiré.

— Évidemment, Pat, et tu sais bien que c'est là que ça casse: je n'ai pas d'argent.

— Il y a toujours... a-t-il tenté, ta Buick...

Bien sûr qu'il y avait ma Buick. Comme si je n'y avais pas pensé! Mais c'était ce mur qu'avaient frappé tous mes projets depuis quatre ans: je n'étais pas prêt à vendre ma voiture. Elle était mon seul réconfort, m'en séparer m'aurait brisé le cœur, j'arrivais à peine à l'envisager. C'est ce que j'ai expliqué, encore une fois, à Patrick. Lui, en retour, m'a fait une description complète du garage, qu'il était allé visiter le matin, par curiosité. L'écouter était pénible, tellement sa description était tentante. Puis j'ai vu mon client qui sortait de la boutique.

— Je te rappelle tout à l'heure, Pat, j'ai un client.

Le client est revenu, non pas avec un bouquet, mais avec ce qui semblait n'être qu'une seule fleur, emballée dans du papier vert. Sans dire un mot, nous sommes repartis. Par la rue Sherbrooke, nous sommes assez vite arrivés à destination. C'était une maison de riches au milieu d'autres maisons de riches. J'ai horreur de cette ville.

Et là, il est arrivé quelque chose d'assez particulier qui a fait que je me suis mis à m'intéresser à mon client. J'avais arrêté la voiture, mis au neutre, mais il ne sortait pas, restait silencieusement assis sur la banquette.

— On y est, ai-je dit en le regardant dans le rétroviseur.

Il a semblé se réveiller.

— Oui… oui, laissez-moi un petit instant, a-t-il demandé d'une voix faible.

Même profondément calé dans le siège de ma Buick, il avait l'air au bord de l'évanouissement. Il regardait sa fleur, semblait délibérer d'une question complexe. Il y avait, dans son regard, de l'inquiétude et de la résignation. Je me suis dit qu'il faisait peine à voir. Difficile, dans une situation comme celle-là, de ne pas émettre d'hypothèses, de ne pas se construire un petit scénario. De tout évidence, il y avait une histoire d'amour là-dessous. Peut-être que sa copine, ou sa femme, l'avait laissé et qu'il envisageait de la reconquérir. Ce genre d'entreprise est presque toujours vain. D'ailleurs, je n'ai moi-même pas vraiment tenté de retenir Isabelle. Il me semble qu'une fois que les mots de la rupture ont été prononcés, on ne peut plus revenir en arrière. L'amour, ce n'est pas comme une bagnole : ça ne se répare pas.

J'ai jeté un coup d'œil à la maison devant laquelle j'étais stationné. Je me suis dit que si son ancienne amoureuse habitait là, mon client n'avait peut-être pas tort de vouloir la reprendre : elle était certainement un excellent parti !

Au bout d'une minute environ, il est sorti de la voiture. Il a fait exactement quatre pas, s'est arrêté puis est revenu. Il s'est réinstallé sur la banquette, a fermé la porte.

— J'ai changé d'idée, a-t-il dit. Ça ne vous embête pas de faire un petit détour ? Je n'ai pas l'adresse, mais je vais vous montrer le chemin.

Son visage s'était métamorphosé : sa mâchoire était crispée, et ce que je lisais dans son regard, c'était une résolution un peu furieuse, un peu effrayante.

Mon scénario était trop simple. Son histoire devait être beaucoup plus tordue que ce que j'avais cru. J'ai suivi ses indications. Il m'a fait descendre la rue Greene jusqu'à Saint-Henri. On a ensuite tourné en rond pendant un bout de temps avant de trouver l'endroit qu'il cherchait, un des anciens immeubles de la Dominion Textile, il me semble. Le client est sorti de la voiture, me demandant de l'attendre, le compteur tournait. Je l'ai vu entrer dans le vestibule de l'immeuble et appuyer sur une sonnette. En observant sa posture, le dos droit et raide, la main gauche sur la poignée de la porte, prête à tirer dès qu'on lui ouvrirait, le regard fixé sur ce qui était probablement un interphone, j'ai compris que ce qu'il était en train de faire était de la toute première importance pour lui. J'ai aussi compris qu'il jouait gros, qu'il était en train de prendre un risque. Je n'avais, au fond, aucune idée de ce qui se passait vraiment, je ne savais pas à qui était destinée cette fleur ni ce que signifiait notre arrêt à Westmount, mais... je comprenais.

J'ai gardé les yeux sur le client jusqu'à ce qu'il disparaisse dans l'immeuble : on lui avait ouvert. Bravo, ai-je pensé. Puis j'ai senti comme un élan, les battements de mon cœur ont accéléré, les muscles de mes mains et de mes bras se sont tendus, j'ai saisi mon téléphone et j'ai composé le numéro de Patrick.

— On y va, Pat, on l'achète. S'il le faut, je vais vendre la Buick, ai-je dit en appuyant sur chacun de mes mots.

*

J'ai reconduit le client à la Place des Arts à toute vitesse. La circulation était fluide et je me sentais comme un pilote de Formule 1. Je ne m'étais pas senti aussi vivant depuis très longtemps. Je me voyais déjà tout taché de cambouis, comme dans le bon vieux temps, et j'avais envie de rire. À un feu rouge, j'ai jeté un coup d'œil, dans le rétroviseur, à mon client, que j'avais presque oublié. J'ai vu qu'il souriait, lui aussi. Un petit sourire, mais un bon sourire, un sourire tranquille. J'ai su, alors, que tout allait bien, que tout irait bien.

ANNE-MARIE DELAMBRE
52 ans, historienne

J'ai décidé, un peu sur un coup de tête, d'aller écouter Pierre. Il n'est plus lui-même depuis quelques jours. Il file un mauvais coton. Je devine qu'il s'est passé quelque chose pendant son séjour de vingt-quatre heures à Moscou, le week-end dernier, je ne sais pas quoi au juste. Tous mes efforts pour le faire parler ont été vains. J'en croirais presque qu'il m'en veut pour quelque chose, que je suis la cause du problème, mais je sais que c'est impossible. Pierre est probablement en train de vivre une période de profonde remise en question artistique et professionnelle. Cela lui est arrivé quelques fois, à plusieurs années d'intervalle. Ce sont des périodes difficiles, mais dont il ressort toujours plus fort, avec de nouvelles idées. La peur de ne pas réussir à se renouveler est sa plus grande angoisse. C'est une véritable obsession. Je ne le lui reproche pas : nous avons tous cette peur, et nous nous sentons tous vieillir, c'est parfaitement normal. La seule chose que je pourrais lui reprocher est de ne pas me laisser l'aider. Je ne sais pas précisément ce que je pourrais faire pour l'aider, probablement seulement l'écouter, puisque je serais incapable de contribuer directement à l'évolution de son « style » et de sa « pensée musicale », tout cela m'étant par trop étranger. Mais, dans ces moments de crise, il ne parle plus, il devient solitaire, il me fuit. Comme nous avons l'habitude d'être très proches l'un de l'autre, de ne rien nous cacher, ces phases de quasi-séparation sont très pénibles pour moi aussi.

Nous formons un drôle de couple, j'en suis bien consciente. Nous sommes devenus essentiels l'un à l'autre malgré le fossé profond existant entre nos façons respectives de vivre et de voir le monde. Pierre est constamment à la recherche de gratification, il n'en a jamais assez. Cette recherche est le véritable moteur de sa carrière, bien davantage que l'amour de la musique, à mon avis. Cela ne me choque plus depuis longtemps, mais je regrette un peu qu'il ait encore tant de mal à s'arrêter, à se reposer. Je lui ai appris à le faire, dans une certaine mesure ; nous avons trouvé un point d'équilibre où sa rage de travail et d'action n'empiète plus sur mon besoin d'espace pour le calme, le plaisir et aussi pour la réflexion. Au départ, Pierre n'était pas très doué pour le bonheur, ni pour l'amour. Nous avons eu des débuts difficiles. Il a fait des progrès considérables, c'est un fait indéniable, et il a vraiment appris à aimer, à bien aimer. Mais il reste qu'il est impossible de lui enlever la conviction intime qu'il a d'être en compétition avec le reste de l'univers, et même avec lui-même. Sur cette question, nous ne nous comprenons pas.

Le « métier » que j'exerce est aussi très accaparant. J'ai laissé l'enseignement de côté au début des années quatre-vingt-dix. Je ne m'y sentais plus très bien, pour diverses raisons, et je voulais consacrer plus de temps à mes recherches et à l'écriture. Mais, en dehors du contexte relativement douillet qu'offre l'université, faire un travail de recherche poussé, et, surtout, diffuser le résultat de ce travail, n'est pas toujours facile. Les découvertes sont souvent minimes, parfois presque insignifiantes, et les interlocuteurs avec qui partager ces découvertes sont rares. Il m'arrive périodiquement de me sentir seule et inutile. C'est d'ailleurs à la suite d'un de ces passages à vide que j'ai rédigé mon premier ouvrage de vulgarisation, un livre sur la décadence de l'empire romain qui m'a apporté un peu de notoriété, une notoriété que je n'avais pas vraiment souhaitée, du moins pas consciemment, mais qui m'a fait du bien.

Même si elle peut devenir très lourde, la solitude est, au fond, une des conditions essentielles de mon travail. Il faut savoir faire le vide autour des documents historiques, entrer dans leur intimité, instaurer un face à face. Et pour y parvenir, j'ai besoin non seulement d'être calme, mais d'être heureuse, tout simplement. C'est tout le contraire de Pierre, qui ne sait réfléchir que frénétiquement et pour qui la souffrance et la colère sont pratiquement des outils de travail. Pour ceux qui nous connaissent mal, il est toujours surprenant de constater à quel point nos rapports sont imprégnés de tendresse. C'est pourtant vrai : malgré ses célèbres sautes d'humeur, Pierre a en lui une tendresse infinie qui est sans doute la principale assise de notre bonheur ensemble.

Il est extrêmement rare que j'aille aux concerts de Pierre. Ce n'est pas que cela ne m'intéresse pas, non, mais j'ai toujours pensé qu'il était préférable de ne pas trop envahir sa sphère professionnelle. Et je crois que je n'apprécierais pas autant les comptes rendus passionnés qu'il me fait de ses concerts si j'y assistais moi-même. Mais, ce soir, je me suis dit que je comprendrais peut-être mieux ce qui se passe en voyant Pierre diriger. Et, qui sait, ce geste de rapprochement contribuerait peut-être à le faire s'ouvrir à moi. Pour cela, évidemment, il faudrait que je lui dise que j'étais venue, ce que je n'étais pas encore certaine de vouloir faire.

Je suis arrivée à la toute dernière minute. Il était probablement, en fait, déjà passé huit heures. À la billetterie, on a semblé embêté de me voir. Il ne restait qu'une poignée de places, toutes à l'avant du parterre, places qui se vendent très mal parce qu'on doit s'y tordre le cou pour voir quelque chose tellement elles sont près de la scène. J'ai dû faire se lever au moins trente personnes pour rejoindre mon siège. On semblait attendre l'entrée du chef d'un instant à l'autre. En effet, on s'est mis à applaudir avant même que j'aie eu le temps de m'asseoir : Pierre était sur scène, se dirigeant rapidement vers le podium. Je me suis dépêchée de m'asseoir. J'ai eu un sursaut en levant les yeux vers Pierre : il avait le regard braqué sur moi. J'étais vraiment très près de lui, à cinq ou six mètres à peine.

Pierre, devant son podium, a salué une première fois. Puis il s'est tourné ostensiblement vers moi et a salué à nouveau, plus longuement, plus intensément. Il a ensuite continué à me regarder dans les yeux pendant plusieurs secondes, provoquant un malaise palpable dans la salle, avant de finalement monter sur le podium. Mon cœur battait la chamade. Jamais Pierre n'avait fait quoi que ce soit de semblable et, pourtant, je comprenais ce qu'il avait voulu me dire : il allait jouer pour moi.

Je crois bien que c'est ce qu'il a fait. Il a dirigé pour moi. Cela a sans doute été sa façon de reprendre contact et, du même coup, d'expliquer son silence des derniers jours. Et j'ai eu l'impression que son problème était réglé, car il m'a semblé entendre quelque chose de profondément nouveau dans son interprétation des deux œuvres de Beethoven et de la pièce contemporaine. Je ne saurais dire quoi, au juste, mais il y avait quelque chose, une énergie particulière, que je n'ai apparemment pas été seule à sentir. À la fin de la *Septième symphonie*, la salle s'est littéralement soulevée, les applaudissements ont été furieux, presque euphoriques. Pierre avait trouvé une nouvelle voie.

Après le concert, j'ai décidé de rentrer seule à la maison, sans attendre Pierre. J'aurais été mal à l'aise de faire le pied de grue devant sa loge, ce que je n'ai pas fait depuis bien des années. Et puis j'ai eu peur de briser ce qui s'était fait entre nous durant le concert. Je l'attendrais donc à la maison, ce qui lui permettrait de revenir à moi comme il l'entendait. S'il voulait parler, nous parlerions. Et s'il voulait laisser tout cela derrière nous, non dit, c'était ce que nous ferions.

*

Je suis installée dans un des fauteuils du salon, face à la fenêtre. Un livre est ouvert sur mes genoux mais je ne lis pas. J'attends Pierre. Il va arriver d'une minute à l'autre. Je regarde dehors, à travers la fenêtre. J'écoute le bruit de fond de la circulation sur la rue Sherbrooke, à l'affût d'un bruit de moteur qui approcherait.

Pierre n'est pas en retard, c'est moi qui suis impatiente. Plus j'attends, moins j'ai envie de parler, mais je n'ai plus envie d'être seule.

Non, je n'ai pas envie d'être seule.
Et je n'ai pas envie de parler.
Mais c'est moi qui suis impatiente.
Pierre n'est pas en retard.

PARK IN WON

40 ans, compositeur

Les interprètes ne cesseront jamais de me surprendre. Delambre, normalement un chef de tout premier calibre, précis, minutieux, systématique, a dirigé, cet après-midi, une répétition avec un amateurisme consommé. C'était épouvantable ! Je me suis demandé s'il n'était pas carrément devenu sourd. Il y avait des erreurs partout, l'orchestre produisait une espèce de mélasse sonore parfaitement indigeste. À vrai dire, je n'ai pas accusé Delambre tout de suite. Mon premier réflexe, comme toujours, a été de remettre en question mon propre travail. Avais-je donc perdu tout sens de l'orchestration ? Je me suis mis à fouiller la partition. Frénétiquement. Je cherchais des erreurs flagrantes, des oublis, des maladresses, mais rien ne me sautait aux yeux. J'ai fini par me rendre compte que c'était du côté de l'orchestre que ça n'allait pas. On ne jouait tout simplement pas ce qui était écrit. Je n'ai eu d'autre choix que d'intervenir. Vingt minutes avant la fin de la répétition, je suis monté sur scène et j'ai arrêté Delambre. Je l'ai fait reprendre depuis le début en corrigeant les erreurs les plus grossières, en rectifiant la balance tant bien que mal, moi qui n'ai pas une très bonne oreille pour ce genre de choses. Delambre a fait ce que je lui ai demandé sans broncher mais sans ajouter quoi que ce soit. Il réagissait comme un zombi ! Les corrections que je faisais étaient utiles, et tout à fait essentielles en fait, mais sans un véritable engagement de la part du chef, il y avait des limites à ce que je pouvais faire. J'aurais presque voulu prendre sa place sur le podium, même sachant à quel point j'étais peu doué comme chef. Un métronome géant aurait fait mieux que Delambre, me semblait-il.

Au bout du compte, nous n'avons pas eu le temps de terminer la pièce. Si je comprends bien ce qui s'est passé, les musiciens ont refusé de faire du temps supplémentaire. J'ai rarement vu un tel manque de professionnalisme, ou un tel excès de professionnalisme, selon le point de vue qu'on adopte. Voir des questions d'argent s'immiscer au cœur de la musique m'est toujours pénible. J'ai beau avoir choisi de vivre et de faire carrière surtout en Amérique, je ne m'habitue pas à ces problèmes, et je crois que je ne m'y habituerai jamais.

Je suis parti sans dire un mot au chef, tant j'étais déçu et choqué. On peut donc imaginer ma surprise lorsque, quelques heures plus tard, au concert, j'ai entendu les premières mesures de ma pièce jouées avec une énergie et une précision presque surnaturelles. Delambre était revenu à lui, comme par magie, je n'en croyais pas mes oreilles. Qu'est-ce qui avait bien pu se passer? Aucune idée... mais j'ai compris dès le départ que j'allais entendre ma pièce telle que je l'avais écrite. J'ai compris que, malgré le peu de temps de répétition dont nous avions disposé, et malgré le comportement énigmatique de Delambre pendant la générale, il allait rendre justice au projet particulier qu'était cette œuvre.

Parce qu'il s'agit d'un projet particulier, un projet qui me tient spécialement à cœur, le fruit d'une réflexion sur la perception musicale, sur l'écoute dans sa complexité et sa subjectivité. L'idée fondamentale qui a sous-tendu mon travail est que, si je peux choisir ce que je donne à entendre, je n'ai par contre aucun contrôle sur la manière dont cela sera entendu. Je vais plus loin en disant que je n'ai, en fait, aucun contrôle sur *ce qui est entendu,* car l'écoute agit comme un filtre. C'est dire que la musique n'existe qu'à travers l'écoute et, au-delà de l'écoute, dans l'interprétation qu'en fait l'auditeur. L'auditeur est un interprète.

D'ailleurs, pour moi, on peut dire la même chose du monde en général: la réalité n'existe qu'à travers notre perception. On peut sans doute même considérer que la réalité n'existe tout simplement pas, ou qu'elle n'existe que comme *fuite perpétuelle.* Les paroles, les gestes, même les silences n'ont de sens qu'une fois qu'ils ont été interprétés. Et les interprétations diffèrent presque infiniment d'une personne à l'autre. Nous avançons à tâtons dans le monde, nous devinons les gens plus que nous ne les comprenons. Surtout, nous projetons notre propre image sur tout : cela fait partie de notre condition.

J'ai voulu montrer tout cela dans *Phi* en faisant de cette œuvre une métaphore. Les textures denses et complexes du début de la pièce nous plongent au cœur de l'ambiguïté des sens. Puis, à travers différentes phases de développement, des lignes de force apparaissent, une directionnalité plus claire est établie. On en arrive ainsi au point focal de l'œuvre, ce point où j'ai tenté de faire se résorber toutes les ambiguïtés de sens. C'est un bref moment où la texture orchestrale est réduite à sa plus simple expression : un coup de triangle. Un son pur et cristallin symbolisant l'abolition de toute distance entre nous et le monde.

J'étais un peu anxieux à propos de ce coup de triangle. Je n'avais pas eu la présence d'esprit, pendant la générale, de demander à l'entendre. Il faut dire qu'avec les problèmes que nous avions eus, nous ne nous étions tout simplement pas rendus jusqu'à ce moment de la pièce. J'étais anxieux parce que j'ai appris à me méfier des percussionnistes. C'est qu'ils ont parfois tendance à aller au plus simple, à prendre, par exemple, le premier triangle qui leur tombe sous la main plutôt que de s'interroger sur la sonorité qui conviendrait le mieux à l'œuvre jouée. Un son trop complexe ou trop grave m'aurait profondément déplu. Mais, en arrivant au moment focal, mon anxiété s'est révélée injustifiée. J'ai entendu le son de triangle parfait : le bon timbre, la bonne intensité, placé exactement au bon endroit. Tel que je l'avais espéré, ce coup de triangle donnait une forte impression de vertige, il avait quelque chose de presque métaphysique. Oui, c'était réussi. J'étais satisfait.

*

Je ne suis pas une personne très grégaire. Les réunions mondaines me déstabilisent, en partie parce que je prends trop à cœur tout ce qu'on m'y dit. J'ai toujours pensé qu'on apprend la composition en apprenant à se laisser émouvoir. Il est primordial de rester toujours ouvert aux gens et aux choses. Cette ouverture est devenue, pour moi, une seconde nature, ce qui me contraint à tout absorber à petite dose, une personne, un événement à la fois. C'est un peu ce qui explique que je ne me sois pas mêlé aux gens de l'orchestre, après le concert. Je me suis contenté de serrer quelques mains, rapidement, en coulisses, puis je suis sorti. J'ai mis un bon chandail de laine et je suis parti faire une promenade.

C'était la première fois que je venais à Montréal et je n'y passerais que vingt-quatre heures : je devais repartir pour New York dès le lendemain, au début de l'après-midi. J'ai donc décidé d'utiliser la fin de la soirée pour prendre le pouls de cette ville. J'ai marché au hasard pendant un long moment avant d'arriver à un parc assez coquet, sorte de Central Park en miniature. Malgré le froid, je me suis assis sur un banc, devant un étang artificiel asséché. L'endroit était désert et silencieux, le genre d'endroit qui vous pousse à l'intérieur de vous-même. Je me suis mis à réfléchir à la prochaine pièce que je devais écrire, un quatuor à cordes qui me demanderait vraisemblablement plusieurs mois de travail. J'avais l'intention de poursuivre ce que j'avais amorcé avec *Phi*, une réflexion sur le monde comme perception. Je voulais arriver à exprimer de façon synthétique cette idée que le monde comprend autant de réalités différentes que d'individus, réalités liées les unes aux autres par le mince fil de l'art et du langage. Le mince fil de l'art et du langage…

Je crois m'être presque endormi. En redressant la tête, j'ai cligné des yeux et mon regard a été attiré par une forme qui se tenait droit devant moi, sur le petit muret délimitant l'étang. C'était un écureuil gris, bien gras, prêt pour l'hiver. Sa posture était assez étrange. Il semblait se préparer à sauter de l'autre côté du muret, il me tournait donc le dos, en quelque sorte, mais sa tête était tournée vers moi. Il me regardait fixement. C'était un regard profond, intelligent, presque humain.

Nous sommes restés longtemps à nous regarder ainsi, tous deux parfaitement immobiles. La scène était invraisemblable, irréelle. Puis, j'ai compris ce que signifiait ce regard. L'animal me posait une question, figé dans l'attente de ma réponse. Cette question, je l'ai comprise aussi clairement que si je l'avais entendue : Qui es-tu ?

Que répondre ? Et comment répondre ? Je n'ai guère eu le temps d'y réfléchir : l'écureuil s'est enfui de l'autre côté du muret. Je l'ai perdu de vue.

Je me suis levé, ai épousseté mes vêtements et suis reparti en direction de l'hôtel.

OUVRAGE RÉALISÉ PAR
LUC JACQUES, TYPOGRAPHE
ACHEVÉ D'IMPRIMER
EN AOÛT 2009
SUR LES PRESSES
DES IMPRIMERIES TRANSCONTINENTAL
POUR LE COMPTE DE
LEMÉAC ÉDITEUR, MONTRÉAL

DÉPÔT LÉGAL
1re ÉDITION : 3e TRIMESTRE 2009
(ÉD. 01 / IMP. 01)